BONNE ROUTE !

MÉTHODE DE FRANÇAIS

1A

LEÇONS 1 à 17

Pierre Gibert
*Ancien directeur pédagogique
de l'Alliance Française de Paris*

Philippe Greffet
*Agrégé de l'Université
Secrétaire général
de l'Alliance Française de Paris*

avec la collaboration de

Alain Rausch
Danielle van Zundert

ALLIANCE FRANÇAISE

HACHETTE

Bonne route 1

- Livre de l'élève
  Deux versions : — 1 seul volume, *Bonne route 1* (leçons 1 à 34)
                — 2 volumes,   *Bonne route 1A* (leçons 1 à 17)
                                       Bonne route 1B (leçons 18 à 34)
- Cassettes sonores
- Guide pédagogique (leçons 1 à 34)

Le signe ⬚ indique les textes ou exercices enregistrés sur les cassettes sonores.

RÉFÉRENCES DES ILLUSTRATIONS

P. 12 : © Antenne 2. ■ P. 14 : © D. Staquet / Collectif. ■ P. 15 : La vache et le prisonnier : collection « Cahiers du cinéma », Dupond et Dupont : *Tintin au pays de l'or noir* : © Hergé / Casterman. ■ P. 18 : Horloges : © J.-M. Charles / Rapho ; Les chiffres et les lettres : G. Rougé / Antenne 2. ■ P. 27 : St-Germain-des-Prés : © Niépce, Notre-Dame : J. Gourbeix, Le Panthéon : J.-M. Charles, Musée d'Orsay : G. Gerster / Rapho ; J. Baker : © L. Chevert. ■ P. 29 : Maillol : Fournier / Rapho ; Matisse : H. Josse, Ronchamp : G. Biollay / Diaf. ■ P. 33 : © Gaumont. ■ P. 40 : © J.-P. Langeland / Diaf. ■ P. 41 : le petit déjeuner : © H. Gyssels, le restaurant scolaire : © A. Le Bot, le goûter : © Rozencwajg / Diaf ; le restaurant : © Bisson, la cantine Peugeot : © Pérenom - J.-B. Pictures / Collectif. ■ P. 42 : © P. Michaud, A.-P. Neyrat, R. Merle / Rapho. ■ P. 54 : Collection Viollet. ■ P. 55 : Nanterre : © Granveaud, immeuble début du siècle et quartier de l'horloge (Paris) : © Torregano, pavillons de banlieue : © Leloup / Collectif. ■ P. 60 : en haut, de gauche à droite, © C. Wolff / Jerrican, Bernard Régent / Diaf, Clément / Jerrican ; en bas, de gauche à droite, Gaillard / Jerrican, Rémy, Bill Wassman, Peter Turnley / Rapho. ■ P. 61 : © éditions Loubatières. ■ P. 69 : Ecom / Univas / RATP. ■ P. 75 : photos de Besançon : © J.-P. Tupin. ■ P. 79 : Grey, création S. Augendre / E. Helias, photo O. Borst. ■ P. 82 : catalogue la Redoute. ■ P. 83 : pub. Lacoste / CPV ; Ecom / Univas / RATP. ■ P. 88 : © H. Josse. ■ P. 89 : chéquier BNP : © B. Schaeffer ; carte bleue : © Société Générale ; distribanque : © M. Béziat, cabine à télécarte : © D. Staquet / Collectif ; télécarte / photo DGT ; l'Avare : collection « Cahiers du cinéma ». ■ P. 102 : © F. Boissière. ■ P. 103 : Fise / UNICEF ; Bélier rive gauche / Croix rouge. ■ P. 111 : © F. Boissière. ■ P. 116 : supermarché : © Pérenom / Collectif ; Minitel : © Schurr. ■ P. 117 : © John Copes - Van Hasselt / Collectif. ■ P. 125 : © S. Bouvet - Duclos, P. Aventurier / Gamma.

Couverture : Graphir
Maquette intérieure : Mosaïque
Dessins : Anne-Marie Vierge et Laurent Lalo
Documentation : Brigitte Farina, Anne Pekny, Michèle Pesce

ISBN 2.01.013591.1

© 1988 – Hachette, 79, bd Saint-Germain – F 75006 PARIS

Avant-propos

« Il n'y a pas de mauvais livres, il n'y a que de mauvais maîtres. » Tel est l'aphorisme qu'on nous enseignait, il y a bien longtemps, dans les Écoles normales primaires. Au terme d'une longue carrière, je suis en mesure d'affirmer que cet adage est inexact. Il existe malheureusement de mauvais livres, et les bons professeurs sont heureusement légions.

Les bonnes méthodes d'enseignement du français langue étrangère ou langue seconde ne manquent pas, me direz-vous. C'est exact, et pourtant, de partout et depuis deux ou trois ans, étudiants et surtout professeurs français et étrangers nous demandent de mettre « noir sur blanc » l'expérience acquise par les praticiens de l'Alliance Française.

Le temps ne donne plus de temps au temps. Vite et bien, tel est le vœu sans cesse exprimé. L'Asie du Sud-Est comme l'Europe, l'Afrique de l'Ouest comme l'Amérique ou l'Océanie souhaitent un retour à la progression rigoureuse dans l'acquisition linguistique et grammaticale. On désire parler, certes, le plus vite possible, mais le temps presse, et l'écrit, facteur discriminant social et garant des progrès professionnels, recueille toutes les faveurs.

Je pense à ces dizaines de milliers d'enseignants qui, leur vie durant — parce qu'il faut bien vivre —, enseigneront le français 50 ou 60 heures par semaine. Ils n'ont pas le temps de dépouiller un texte, ni l'argent pour acheter une revue ou faire une photocopie. Les douceurs de l'implicite, du non-dit et du clin d'œil ne sont pas pour eux. Ce qu'il leur faut, c'est un boulevard bien tracé, bien balisé et sécurisant.

C'est pour eux surtout, eux de qui dépend la survie de notre langue demain, que nous avons tracé cette route. Qu'ils la suivent en confiance et en conscience, elle conduira naturellement leurs étudiants aux niveaux des examens de l'Alliance qui sanctionnent 250 heures, puis 400 heures d'études.

Pendant des années, nous avons orienté et formé des milliers d'enseignants, pendant des décennies nous avons été à l'écoute du monde. Cette longue et vaste expérience nous a conduits à proposer un produit qui n'a qu'une seule ambition : mener l'élève ou l'étudiant au bout de la route qu'il aura décidé de prendre avec nous.

Philippe GREFFET

« La France et les départements et territoires d'Outre-mer »

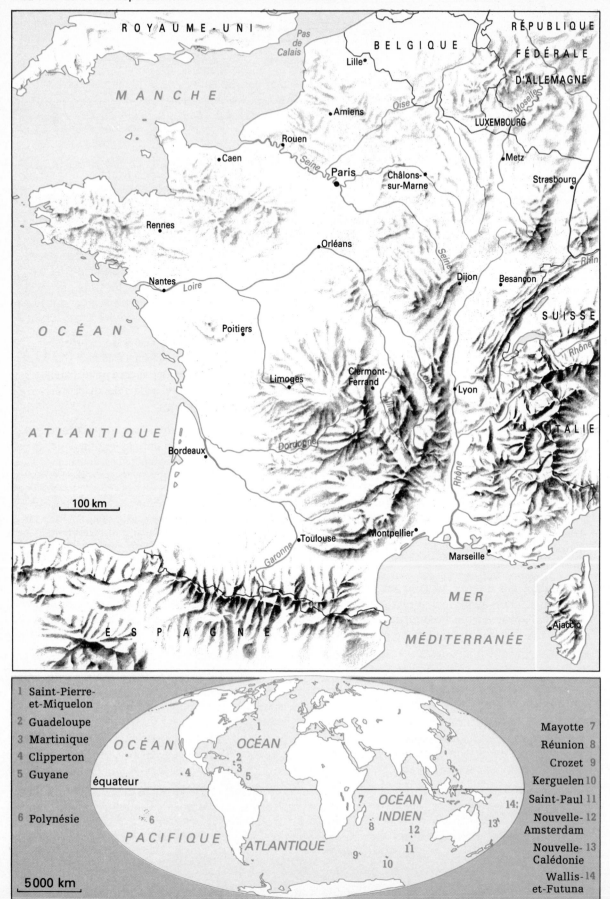

ROYAUME-UNI

BELGIQUE

RÉPUBLIQUE
FÉDÉRALE
D'ALLEMAGNE

Pas
de
Calais

MANCHE

Lille•

•Amiens

Oise

LUXEMBOURG

Moselle

•Metz

Rouen•

Strasbourg•

•Caen

Seine

Paris•

Châlons-
sur-Marne•

Rennes•

Orléans•

Seine

Dijon•

•Besançon

Rhin

SUISSE

Nantes•

Loire

OCÉAN

•Poitiers

Rhône

Clermont-
Ferrand•

ITALIE

Limoges•

Lyon•

ATLANTIQUE

Dordogne

Rhône

Bordeaux•

100 km

•Toulouse

Montpellier•

Garonne

Marseille•

MER

MÉDITERRANÉE

•Ajaccio

ESPAGNE

1	Saint-Pierre-et-Miquelon
2	Guadeloupe
3	Martinique
4	Clipperton
5	Guyane
6	Polynésie

OCÉAN   OCÉAN

équateur

PACIFIQUE   ATLANTIQUE

OCÉAN
INDIEN

Mayotte 7
Réunion 8
Crozet 9
Kerguelen 10
Saint-Paul 11
Nouvelle-Amsterdam 12
Nouvelle-Calédonie 13
Wallis-et-Futuna 14

5 000 km

INTRODUCTION

1. Le public

Bonne route 1 s'adresse à des étudiants – grands adolescents ou adultes – débutant en français. On ne peut définir de classe-type. La diversité des situations d'enseignement : culture nationale, habitudes d'apprentissage, perception de la langue étrangère, effectifs des classes, durée et fréquence des leçons, entraîneront des utilisations très diverses du matériel proposé qui a été conçu en ce sens. Le rôle du professeur est capital.

2. Les objectifs généraux

Apporter aux étudiants en 200-250 heures une base grammaticale solide et progressive, un vocabulaire utile et nuancé ; en bref, faire acquérir les moyens linguistiques pour s'exprimer en français dans des situations courantes et comprendre différents types de textes. L'ensemble des matériaux permet aussi à l'étudiant de l'Alliance Française de se préparer aux épreuves du Certificat élémentaire de français pratique.

3. Le matériel

- Le livre de l'étudiant en 1 ou 2 volumes (*Bonne route 1 :* 34 leçons / ou *Bonne route 1A :* leçons 1 à 17, et *Bonne route 1B :* leçons 18 à 34).
- Les cassettes sonores : elles contiennent les textes de départ (dialogues et récits), les dictées, les exercices de prononciation, des textes d'auteurs et des chansons.
- Le guide pédagogique : il donne au professeur les pistes d'exploitation, certains corrigés d'exercices et propose des démarches souples.

4. L'organisation et le contenu du livre

Chacune des 34 leçons se répartit sur 7 pages contenant de 25 à 30 exercices :

- **page 1 :** Dialogues ou textes permettant d'aborder le thème et de découvrir les différents éléments linguistiques de la leçon.

Les personnages apparaissant au fil du livre n'ont pas de lien précis entre eux, mais ils appartiennent à un monde familier à tous ; leurs préoccupations sont universelles.

- **page 2 :** « Pour mieux comprendre » : exercices et questions destinés à faciliter la compréhension du texte de départ.

- **pages 3-4 :** « Pour pratiquer la grammaire ».

La présentation des faits grammaticaux est délibérément composée de petites unités (tableaux et nombreux exercices) permettant un travail systématique sur les principales difficultés de langue. Beaucoup d'éléments seront repris et développés dans *Bonne route 2.*

« Pour bien prononcer » : identification des sons du français par leur opposition significative dans des mots et des phrases.

Exercices d'écoute ou de répétition pour travailler phonétique et intonation.

- **pages 5-6 :** « Pour aller plus loin » : élargissement du thème, enrichissement lexical, approche de la civilisation française.

Les documents de ces pages sont très variés : photos, dessins, poèmes, courts extraits littéraires. Les activités, orales ou écrites, permettent à l'étudiant d'utiliser activement ce qu'il a appris dans les pages précédentes et de renforcer sa motivation.

- **page 7 :** « Pour travailler à la maison » : page de récapitulation et de bilan.

On y trouve le résumé des contenus de la leçon, des conseils pour l'étudiant, la liste des mots nouveaux ; 4 à 5 exercices lui permettent d'évaluer ses progrès.

L'ensemble est conçu comme un cadre assez ouvert pour que chacun puisse y tracer son propre chemin. Alors, bonne route !

Rencontres et salutations

— Je m'appelle Michel... Et vous ?
— Moi, je m'appelle Sylvie.
— Bonjour, Sylvie. Comment allez-vous ?
— Bien, merci. Et vous ?

— Salut, Philippe ! Je te présente Michel.
— Bonjour, Michel ! Ça va ?
— Ça va bien... Et toi ?
— Ça va.

— Monsieur... Je me présente : Corinne Mallet...
  Voici Éva et voilà Thomas...

— Je vous présente madame Lamy.
— Enchanté, madame.
— Bonjour, monsieur.

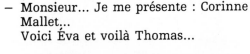

— Qui est-ce ? Sylvie ?
— Non ! C'est Marie.
— Et... C'est qui ?
— C'est Philippe Lamy !

— Allô ! C'est vous, Sylvie ?
— Oui, c'est moi...
— Comment ça va ? Bien ?
— Non ! Ça va mal...

1 *Présentez-vous.*

       Je m'appelle...   Je me présente...

2 *Saluez votre voisin, votre voisine... et demandez-lui son nom.*

3 *Écoutez et regardez.*

4 *Écoutez et lisez.*

a. – Bonjour... *madame.*
      Comment allez-vous ?
– Je vais bien... très bien. Merci.
      Et vous ?

Remplacez madame par monsieur

et jouez le dialogue.

b. – Salut, *Michel !* Ça va ?
– Ça va... *bien, très bien.* Et toi ?

Remplacez Michel par Sylvie.

Remplacez bien, très bien par mal,

très mal et jouez le dialogue.

5 *Lecture ou dictée.*

a. Michel rencontre Sylvie.
b. Éric présente Michel et Philippe.
c. Monsieur Vital présente madame Lamy.
d. Corinne Mallet présente Éva et Thomas.
e. Voici Sylvie et Philippe Lamy.
f. René Dumas téléphone à Sylvie.

POUR PRATIQUER LA GRAMMAIRE

Je me présente...

Comment vous appelez-vous ? Comment vous vous appelez ? Vous vous appelez comment ?	

Je me présente :	(Monsieur)	Philippe Lamy.
	(Madame)	Corinne Mallet.
	(Mademoiselle)	Cécile Mallet.

Moi, je m'appelle	Philippe Lamy. Cécile Mallet.

Remarque : Monsieur (M.), Madame (Mme), Mademoiselle (Mlle).

6 *Comment vous appelez-vous ? Répondez.*

Exemple : Philippe → *Je me présente : Philippe* ou *Moi, je m'appelle Philippe.*

Nicole – Corinne – Cécile – Éva – Michel – Sylvie – Thomas – Marie. Et vous ?

7 *Posez les questions. Faites l'exercice à deux.*

Exemple : Moi, je m'appelle Thomas → *Comment vous appelez-vous ?*
ou *Vous vous appelez comment ?* ou *Comment vous vous appelez ?*

Moi, je m'appelle Philippe Lamy. – Moi, je m'appelle Corinne Mallet. – Je me présente : Marie. – Je me présente : Michel.

Je vous présente...

Qui est-ce ? ↗ C'est qui ? ↗ Qui c'est ? ↗	

C'est	Philippe Lamy. Cécile Mallet.

Je	te vous	présente	Philippe Lamy. Cécile Mallet.

QUI EST-CE ?   C'EST PHILIPPE LAMY

Remarque : Bonjour, **monsieur**, je **vous** présente Philippe Lamy.
Salut, **Philippe**, je **te** présente Cécile Mallet.

8 *Qui est-ce ? Faites l'exercice à deux.*

Exemple : Philippe → *Qui est-ce ? C'est Philippe.*

Michel – Corinne – Thomas – Marie. Et dans la classe ?

9 *Vous demandez... Posez les questions.*

Exemple : C'est Corinne. → *Qui est-ce ?* ou *C'est qui ?* ou *Qui c'est ?*

C'est Paul. – C'est Éva. – C'est Thomas. Et dans la classe ?

10 *Je te présente...*

Exemple : Philippe, Cécile Mallet → *Salut, Philippe, je te présente Cécile Mallet.*

Michel, Corinne Mallet – Sylvie, Philippe Lamy – Marie, Cécile Mallet.

11 *Je vous présente...*

Exemple : Monsieur Lamy, Paul → *Bonjour, monsieur Lamy, je vous présente Paul.*

Monsieur Mallet, Michel – Madame Mallet, monsieur Lamy – Mademoiselle Mallet, Sylvie.

Je demande... c'est...

> C'est Philippe ? < Oui (c'est Philippe).
> Non (c'est Michel).

12 ***C'est... ? Oui, c'est... . Faites l'exercice à deux.***

Exemple : Michel → C'est Michel ? Oui, c'est Michel.

Philippe – Sylvie – Thomas – Marie. Et dans la classe ?

13 ***C'est... ? Non, c'est...***

Exemple : Philippe, Corinne → C'est Philippe ? Non, c'est Corinne.

Corinne, Philippe – Cécile, Corinne – Éva, Cécile – Marie, Éva. Et dans la classe ?

14 ***Vous demandez... Posez les questions.***

Exemple : Oui, c'est Thomas.→ C'est Thomas ?

Oui, c'est Sylvie. – Non, c'est Philippe. – Oui, c'est Paul. – Non, c'est Cécile. – Oui, c'est Corinne. – Non, c'est Marie.

Voici... et voilà...

> **Voici** Éva et **voilà** Thomas.

Remarque : On ne dit pas : voilà... et voici...

15 ***Voici et voilà. Présentez.***

Thomas, Éva – Cécile, Corinne – Philippe, Michel – Paul, Marie. Et dans la classe ?

POUR BIEN PRONONCER

L'alphabet français

H [a]	A, K [ɑ]
F , L , M , N , R , S , Z [ɛ]	E [ə]
B , C , D , G , P , V , W [e]	0 [o]
I , J , X , Y [i]	U, Q [y]

A B C D E F G H I J K L M N O P Q R S T U V W X Y Z
a b c d e f g h i j k l m n o p q r s t u v w x y z

16 ***Écoutez ; répétez.***

a. SNCF - RATP - TGV - RER.
b. PSG - OGCN - OM - FCN.
c. USA - RFA - URSS.

Paroles *et gestes*

a. – Votre nom ?
– Philippe Dubois.

17 *Regardez et écoutez. Rejouez les scènes.*

b. – Salut ! Ça va ?
– Oui, ça va.

c. – Salut ! Ça va ?
– Non !
– Moi, ça va...

d. – Bonjour, madame !
– Bonjour, monsieur !

e. – Moi, je m'appelle Michel,
et vous, vous vous appelez comment ?
– Je m'appelle Julie.

f. – Madame, monsieur, bonsoir.

g. – C'est qui ?
– C'est Thomas.
– Thomas comment ?
– Thomas Mallet.
– Mallet ? Thomas Mallet ?
– Oui... C'est bien ça.

h. – Ça va ?

– Ça va très bien.   – Comme ci, comme ça.   – Ça va très mal.   – Ah, non !

18 **_Par groupe, faites un dialogue._**

        a. – Bonjour, monsieur.   **b.** – Salut, Thomas !

           – . . .   – . . .

19 **_Alphabet et prénoms français._**

	féminin	masculin		féminin	masculin
A	Anne	André	N	Nicole	Noël
B	Barbara	Benoît	O	Odile	Olivier
C	Céline	Casimir	P	Pauline	Philippe
D	Denise	Denis	Q	–	Quentin
E	Éva	Éric	R	Rose	René
F	Françoise	Frédéric	S	Sylvie	Serge
G	Gisèle	Guy	T	Thérèse	Thomas
H	Hélène	Henri	U	Ursule	Urbain
I	Isabelle	Irénée	V	Véronique	Vincent
J	Julie	Jérôme	W	–	–
K	–	Kléber	X	–	Xavier
L	Louise	Luc	Y	Yvette	Yves
M	Marie	Michel	Z	Zoé	–

Ajoutez des prénoms que vous connaissez.

Quels prénoms français aimez-vous ?

20 **_Présentez les personnes._**

    Exemples : Voici monsieur Dumas.

                 Je vous présente Serge Vital.

M. et Mme Michel PRÉDINE
et leurs enfants

91470 Limours

3, allée des Épillets

M. Jean-Louis Sauvet

Tél. 94.10.54.97

28, Chemin du Petit Paradis
83700 Agay

Chantal et Pascal Roger

Tél. 42.40.37.88

2, rue Pradier
75019 Paris

21 **_Lecture._**

  – Bonjour, dit-il à tout hasard.

  – Bonjour... Bonjour... Bonjour... répondit l'écho.

  – Qui êtes-vous ? dit le petit prince.

  – Qui êtes-vous... qui êtes-vous... qui êtes-vous... répondit l'écho [...].

  Antoine de Saint-Exupéry, _Le Petit Prince_, Gallimard.

2

Lettres et chiffres

- Monsieur Chizeau ?
- Non... Paul Sichot.
- Pardon... Qui est-ce ?
  Allô ! Épelez, s'il vous plaît.
- Sichot... S.I.C.H.O.T. ... Paul Sichot.
- Ah ! Monsieur Sichot, c'est vous ? Bonjour.

- Garçon... Trois cafés et deux demis, s'il vous plaît.
- Bien Monsieur.
- Non... Un instant ! Deux demis, deux cafés et pour moi un thé.
- Entendu ! Deux cafés... deux. Deux demis... deux. Un thé... un.

- Il est six heures et quart... Vite !
- Mais non, six heures seulement !
- Regarde l'horloge ! Six heures et quart !
- Quoi ?
- Six heures et quart.
- Ah zut ! Ma montre est arrêtée.
- Vite ! L'avion part à six heures et demie.

1 **_Posez les questions et répondez._**

Exemple : Qui est-ce ? Éva ? – Non, c'est Isabelle.

Pierre / Jean – Marie / Sylvie – Nicole / Hélène – Éric / Guy – Vincent / Yves.

2 **_Écoutez._**

– Comment vous appelez-vous ?
– Paul Mallet.
– Épelez, s'il vous plaît.
– Mallet. M, A, deux L, E, T...

A vous. (Un élève pose la question, un autre épèle son nom.)

3 **_Jeu du « sourd ». Écoutez._**

– Il est trois heures et quart !
– Quoi ?
– Il est trois heures et quart !

À vous.

a. Ma montre est arrêtée !
b. L'avion part à trois heures et demie !
c. Deux demis, deux cafés et un thé !

4 **_Écoutez._**

– C'est monsieur Sichot !
– Qui ?
– Monsieur Sichot.

À vous.

a. C'est Paul !
b. C'est monsieur Chizeau !
c. C'est Philippe et Marie !

5 **_Observez._**

Jules et Jim

Vincent, François, Paul et les autres

Le Rouge et le Noir

Dupond et Dupont

La vache et le prisonnier

Présentez des personnes et des choses de la classe.

6 **_Lecture ou dictée._**

a. Qui téléphone ? C'est monsieur Sichot... S.I.C.H.O.T.
b. Jacques commande deux cafés, deux demis et un thé.
c. Il est six heures et quart, et l'avion part à six heures et demie. Vite !

POUR PRATIQUER LA GRAMMAIRE

Je demande... Qui est-ce ?

Qui est-ce ? ↗			
C'est qui ? ↗	M. Chizeau ?	Oui, c'est (bien) M. Chizeau.	
Qui c'est ? ↗		Non, c'est M. Sichot.	

7 <u>*Qui est-ce ? Posez la question et répondez. Faites l'exercice à deux.*</u>

Exemple : Corinne, oui → – *Qui est-ce ?* ou *C'est qui ?* ou *Qui c'est ? Corinne ?*
– *Oui, c'est bien Corinne.*

Corinne, non – Hélène, oui – Corinne et Caroline, non – Gérard et Bernard, non –
René, oui – Yves et Yvette, non.

Je demande... Quelle heure ?

Quelle heure est-il ? ↘ ↗		0	zéro	zéro heure, *minuit*	7	sept	sept heures
		1	un	une heure	8	huit	huit heures
Quelle heure il est ? ↘ ↗	Il est	2	deux	deux heures	9	neuf	neuf heures
		3	trois	trois heures	10	dix	dix heures
Il est quelle heure ? ↘ ↗		4	quatre	quatre heures	11	onze	onze heures
		5	cinq	cinq heures	12	douze	douze heures
		6	six	six heures			*midi*

<u>*Remarques :*</u> 1. Il est trois heures.  Il est trois heures.
2. 6 heures : 6 h.

8 <u>*Quelle heure est-il ? Répondez.*</u>

9 <u>*Il est sept heures à Paris. Quelle heure est-il à New York ?*</u>

Exemple : New York, – 6 h. → À New York, il est une heure.

Helsinki, + 1 h ; Moscou, + 2 h ; Karachi, + 5 h ; Dublin, – 1 h ; Caracas, – 5 h ;
Houston, – 7 h.

	quatre heures **et** quart.
Il est	sept heures **et** demie.
	onze heures **moins** le quart.

10 <u>*Il est cinq heures et quart à Paris. Quelle heure est-il à... ?*</u>

Tananarive, + 2 h ; Athènes, + 1 h ; Lisbonne, – 1 h.

11 <u>*Il est sept heures et demie à Paris. Quelle heure est-il à... ?*</u>

Abidjan, – 1 h ; Rio de Janeiro, – 5 h ; Barhein, + 3 h.

12 ***Il est dix heures moins le quart à Paris. Quelle heure est-il à... ?***

Tel-Aviv, + 1 h ; Porto-Rico, – 5 h ; Reikjavik, – 1 h.

Je demande... À quelle heure ?

À quelle heure est l'avion ?	L'avion est à trois heures.
L'avion est à quelle heure ?	À trois heures.

13 ***À quelle heure est... ? Posez la question et répondez. Faites l'exercice à deux.***

Exemple : Le train, 6 h. → À quelle heure est le train ? ou Le train est à quelle heure ?
Le train est à 6 h, ou À 6 h.

Le car, 10 h – le dîner, 8 h – le film, 9 h – le match, 3 h – l'avion, 10 h.

Il est... / C'est...

Il est six heures.	**C'est** M. Sichot.

14 ***Complétez avec Il est ou C'est.***

... deux heures. – ... Mme Lamy. – ... Philippe. – ... trois heures. – ... Marc. –
... l'heure. – ... neuf heures. – ... minuit. – ... midi.

POUR BIEN PRONONCER

Lettres muettes

On voit :	Sylvi**e** – Deni**s** – Vincen**t** – Bernar**d** – Roge**r** – T**h**omas – **H**enri
On entend :	Sylvi~~e~~ – Deni~~s~~ – Vincen~~t~~ – Bernar~~d~~ – Roge~~r~~ – T~~h~~oma~~s~~ – ~~H~~enri

Remarque : Kléber, la me**r**. On voit et on entend **-r**.

15 ***Écoutez ; répétez.***

 Gérard – Nathalie – aller – Odile – présenter – salut ! – Rose – Benoît – Clément –
trois – thé – Yves.

Écrire les accents

é	André – René – Gérard – café
è , à	très – Irène – voilà – à trois heures
ô , ê , î , â , ô	Jérôme – arrêtée – être
ë , ï	Joël – Noël

Remarque :
ç → François – leçon – ça.

16 ***Écoutez ; répétez.***

Adèle – café – arrêter – très – Hélène – Joël – enchanté – Irène – Noël – Jérôme.

Chiffres *et lettres*

CAFÉ DE LA POSTE Tarif des consommations Service 15 % compris	
BOISSONS CHAUDES	**BOISSONS FROIDES**
Café 4 F	Lait 6 F
Chocolat 7 F	Jus de fruit 8 F
Infusions 7 F	(orange, abricot, raisin)
Thé nature 7 F	Eau minérale 7 F
Thé citron 8 F	(Vichy, Perrier)
Thé au lait 8 F	Bière pression (demi) 7 F
Lait chaud 6 F	Bière bouteille 11 F
	Limonade 4 F

17 *Deux demis, deux cafés,*
et, pour moi, un thé.
À vous. Commandez !

18 *Quelle heure est-il ?*

19 *Retrouvez trois mots de la page 14.*

Exemple : | n | t | s | i | n | t | a | → *instant*

a. | e | e | l | r | s | t | t | **b.** | e | e | h | r | s | u | **c.** | e | g | h | l | o | o | r |

20 *Trouvez des mots de :*

    – deux lettres ;
    – trois lettres ;
    – quatre lettres.

21 *Y a-t-il des mots français dans votre langue ? Faites une liste.*

22 _Remplissez votre fiche selon le modèle._

Et voici d'autres papiers français.

Nom: RIVOT
Prénoms: Louise, Marie
Signature: LRivot

23 _Poème._

LES BELLES FAMILLES

Louis I
Louis II
Louis III
Louis IV
Louis V
Louis VI
Louis VII
Louis VIII
Louis IX
Louis X (dit le Hutin)
Louis XI
Louis XII
Louis XIII
Louis XIV
Louis XV
Louis XVI
Louis XVIII
et plus personne plus rien...
Qu'est-ce que c'est que ces gens-là
qui ne sont pas foutus
de compter jusqu'à vingt ?

JACQUES PRÉVERT, _Paroles_, Gallimard.

LEÇON 1

■ **Saluer, se présenter, présenter quelqu'un.**

▶ **Je me présente..., je vous présente...**

▶ **Je demande ... c'est ...**

▶ **Voici ... et voilà ...**

▶ **L'alphabet français.**

● **Paroles et gestes.**

expressions et mots nouveaux

Ah... (non) !, *interj.*
Aller (Comment allez-vous ?) *v.*
Allô !, *interj.*
Appeler (s'), *v. pron.*
Bien, *adv.*
Bonjour, *n. m. sing.*
Bonsoir, *n. m. sing.*
Ça, *pron. dém.*
Ça va, *loc.*
C'est ..., *présentatif*
Comme ci, comme ça..., *loc.*
Comment... ?, *adv. interrog.*
Enchanté (e), *adj.*
Et, *conj.*

Être, *v.*
Geste, *n. m. sing.*
Je, *pron. pers.*
Madame, *n. f. sing.*
Mademoiselle, *n. f. sing.*
Mal, *adv.*
Me (m'), *pron. pers.*
Merci, *n. m.*
Moi, *pron. pers.*
Monsieur, *n. m. sing.*
Nom, *n. m. sing.*
Non, *adv.*
Oui, *adv.*
Parole, *n. f. sing.*
Prénom, *n. m. sing.*
Présenter, *v.*

Présenter (se), *v. pron.*
Qui (est-ce) ?, *pron. interrog.*
Rencontre, *n. f. sing.*
Rencontrer, *v.*
Salut !, *interj.*
Salutations, *n. f. plur.*
Te, *pron. pers.*
Téléphoner (à), *v.*
Toi, *pron. pers.*
Très, *adv.*
Voici, *adv.*
Voilà, *adv.*
Votre, *adj. poss.*
Vous, *pron. pers.*

1 **Complétez les dialogues.**

a. Bonjour, Henri.
   – ...

b. – ...
   – Je m'appelle Sylvie.

c. – Je vous présente madame Rivot.
   – ...

2 **Trouvez les mots cachés de la leçon dans la grille et écrivez-les.**

P	S	A	L	U	T	Y	O	V	P
R	M	A	D	A	M	E	U	O	R
E	O	N	T	U	O	N	I	L	E
N	N	O	M	R	I	C	S	C	S
O	S	P	E	E	Q	H	R	I	E
M	I	U	R	V	Ç	A	V	A	N
V	E	T	C	O	V	N	A	C	T
T	U	E	I	I	F	T	O	I	E
G	R	H	J	R	K	E	L	M	P
N	S	B	O	N	J	O	U	R	W

3 **Répondez.**

Exemple : Vous vous appelez Denis ?
         (oui) → – Oui, je m'appelle Denis.
         (non) → – Non, je m'appelle Henri.

a. Vous vous appelez Éric ? (non, Yves)
b. Vous vous appelez Françoise ? (oui)
c. Vous vous appelez Sylvie ? (non, Éva)
d. Vous vous appelez Corinne ? (oui)
e. Vous vous appelez Odile ? (non, Louise)
f. Vous vous appelez René ? (oui)

4 **Complétez les dialogues.**

a. – Salut, Philippe ! Je .... présente Michel.
   – ...., Michel. .... va ?
   – Ça va .... bien. Et .... ?
   – Pas .... , merci.

b. – .... ?
   – Je m'appelle Michel Mory. Et vous ?
   – .... Marie Dubois.

5 **Faites un dialogue avec les mots suivants.**

très – ça va – et toi – salut – pas mal – bien – Anne – Denis – merci.

Pour les exercices 1 et 4, revoyez les pages 8 et 9.

LEÇON 2

expressions et mots nouveaux

À, *prép.*
Arrêté(e), *v. p. p.*
Avion, *n. m. sing.*
Café, *n. m. sing.*
Car, *n. m. sing.*
Chiffre, *n. m. sing.*
Commander, *v.*
Demi, *n. m. sing.*
Demi(e), *adj.*
Dîner, *n. m. sing.*
Entendu !, *interj.*
Épeler, *v.*
Film, *n. m. sing.*
Garçon, *n. m. sing.*
Heure, *n. f. sing.*

Horloge, *n. f. sing.*
Instant (un), *loc.*
Le, la (l'), *art. déf.*
Lettre, *n. f. sing.*
Ma, *adj. poss.*
Mais (non), *interj.*
Match, *n. m. sing.*
Midi, *n. m. sing.*
Minuit, *n. m. sing.*
Moins, *adv.*
Montre, *n. f. sing.*
Nombres (0 à 12)
Pardon, *interj.*
Partir, *v.*
Pour, *prép.*

Quart, *n. m. sing.*
Quelle, *adj. interrog.*
 f. sing.
Quoi !, *interj.*
Regarder, *v.*
Seulement, *adv.*
Signature, *n. f. sing.*
S'il vous plaît !, *interj.*
Thé, *n. m. sing.*
Train, *n. m. sing.*
Un (une), *art. indéf.*
Vite !, *adv.*
Zéro, *n. m. sing.*
Zut !, *interj.*

- **Demander une information, demander quelque chose.**
- ▶ **Je demande ... Qui est-ce ? Quelle heure ... ? À quelle heure ... ?**
- ▶ **Il est ... / C'est ...**
- ▶ **Lettre muettes.**
- ▶ **Les accents.**
- • **Chiffres et lettres.**

1 *Lisez et écrivez.*

0 , 2 , 4 , 6 , 8 , 10 , 12 → zéro, deux ...
1 , 3 , 5 , 7 , 9 , 11 →
9 , 6 , 3 , 0 , 8 , 4 , 0 →
12 , 1 , 11 , 2 , 10 , 3 →

2 *Complétez la grille avec des chiffres ou des nombres de un à douze.*
Il manque un chiffre.

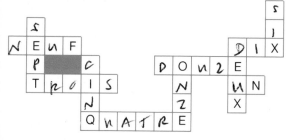

3 *Choisissez.*

a. C'est M. Lefort.
b. Quelle heure est-il ?
c. Un café et un demi. Vite !
d. À quelle heure est le film ?

e. Bonjour, ça va ?
f. Nom et prénom, s'il vous plaît.

1. A neuf heures.
2. Entendu !
3. Oui, ça va. Et toi ?
4. Pardon, qui ? Épelez, s'il vous plaît.
5. Lamy. Philippe.
6. Quatre heures et demie.

4 *Faites un dialogue avec les mots suivants.*

un café – un thé – un instant ! – bien, monsieur – non ! – garçon ! – s'il vous plaît – entendu.

5 *Écrivez les accents.*

un cafe – therese – votre prenom – deux thes – zero.

Pour les exercices 1 et 2, revoyez la page 16.
Apprenez les nombres de 1 à 12.

3

Vous aimez Paris ?

CORINNE : Tiens ! voilà Sylvie !
ISABELLE : Ah oui ! Et avec elle, c'est qui ?
CORINNE : C'est Marina et Silvio, des amis de Sylvie.
ISABELLE : Des Italiens ?
CORINNE : Oui, ils habitent Venise.
ISABELLE : Ils parlent français ?
CORINNE : Un peu... Mais Sylvie parle italien.

SYLVIE : Bonjour, Corinne ! Bonjour, Isabelle !
Voici mes amis, Marina et Silvio.
CORINNE : Bonjour ! Vous visitez Paris ?
SYLVIE : Oui, aujourd'hui, avec Marina et Silvio, on visite Paris...

ISABELLE : *(à Marina et Silvio)* Vous aimez Paris ?
MARINA : Oui, moi, beaucoup ! Mais Silvio, lui, il déteste Paris,
il préfère Venise.
SYLVIE : Quoi ? Tu détestes Paris ?
SILVIO : Non, non ! J'aime aussi Paris. Nous aimons tous Paris !

1 _Regardez._

X parle à Y.

X parle à Y et à Z.

Ils parlent de Marina.
Ils parlent de Michel.

2 _Jouez ces scènes._

Il aime le thé.

Il déteste le café.

3 _Faites des dialogues avec :_

habiter – aimer – détester – préférer – visiter... Paris, Nice, ...

4 _Écoutez le dialogue de la page 22 et répondez._

Marina et Silvio habitent à Paris ? et Sylvie ?
Les trois amis visitent Paris ?
Ils parlent français ?
Marina et Silvio aiment Paris ?
Et Sylvie ?
Et Isabelle ?

5 _Lecture ou dictée._

Silvio et Marina habitent en Italie, à Venise. Ils voyagent beaucoup. Aujourd'hui,
avec Sylvie, ils visitent Paris. Marina aime beaucoup Paris. Silvio préfère Venise,
mais il aime aussi Paris.
Et vous, aimez-vous Paris ?

POUR PRATIQUER LA GRAMMAIRE

Les personnes et les pronoms personnels sujets

Marina parle de Marina :	Je parle un peu français.	**Je**	(1re personne)		S
Sylvie parle à Silvio :	Tu détestes Paris ?	**Tu**	(2e personne)		I N G
Marina parle de Silvio : / Sylvie :	Il préfère Venise. / Elle parle italien.	**Il** / **Elle**	(3e personne)		U L I E R
Les amis parlent ensemble :	Nous aimons tous Paris.	**Nous**	(1re personne)		P
Corinne parle à Sylvie et Silvio :	Vous visitez Paris ?	**Vous**	(2e personne)		L U R
Sylvie parle de Silvio et Marina : / Corinne et Marie :	Ils habitent à Paris. / Elles habitent à Venise.	**Ils** / **Elles**	(3e personne)		I E L

Remarques : 1. **On** = 3e personne, singulier. On visite Paris = nous visitons Paris.
2. Masculin + féminin → **masculin pluriel**.
   Il parle + elle parle → **Ils** parlent.   Il parle + elles parlent → **Ils** parlent.

6 _**Mettez les pronoms.**_

Exemple :... détestes Paris ? → _Tu détestes Paris ?_

... préfères Venise. – ... aimons tous Paris. – ... habitent à Paris. – ... parle un peu français. – ... parle italien. – ... visitez Paris ?

7 _**Mettez les pronoms.**_

Exemple :... habitent à Paris, il + elle → _Ils habitent à Paris._

habiter à Venise, il + elles – parler italien, elles + il – aimer Paris, ils + elle.

8 _**Remplacez on par nous et nous par on.**_

Exemple : On aime tous Paris. → _Nous aimons tous Paris._

Nous visitons Venise. – Nous aimons Marie. – On visite Paris.

Verbes réguliers au présent

S							
I N	1	**Je**	parl**e** français.	**Nous** parl**ons** italien.		1	P
G U	2	**Tu**	parl**es** italien ?	**Vous** parl**ez** français ?		2	L U R
L I E R	3	**On** **Il** **Elle**	parl**e** français.	**Ils** **Elles**	parl**ent** italien.	3	I E L

Remarques : 1. Écoutez la prononciation des terminaisons : **e, es, ent.**
2. **Je** parle / **J'**aime, **j'**habite.
3. Nous [z] aimons, nous [z] habitons, vous [z] aimez, ils [z] habitent.

9 _**Mettez les pronoms.**_

Exemple :... parlons → _Nous parlons._

... visitez – ... parlent – ... parle – ... visites – ... parlons – ... parlez – ... visitons – ... parles – ... visite – ... visitent – ... aiment – ... habitons – ... aime – ... habites.

10 *Mettez les terminaisons.*

Exemple : J'aim... → J'aime.

vous habit... – nous visit... – ils parl... – tu aim... – j'aim... – ils habit... – elle parl... – elles aim... – nous parl... – vous aim... .

11 *Anglais, français, italien ? Répondez.*

Exemple : Sylvie, Paris → Sylvie habite Paris ; elle parle français.

Marina et Silvio, Venise – Jerry, Londres – Sophie et Marie, Genève – Pierre et Denis, Genève – Jim, Jack et Nancy, Washington – Annie, Nice – Et vous ?

Formes de politesse

Je parle à deux, trois, quatre... dix personnes : **Vous** aimez Paris ? (pluriel)	*Je parle à une personne :* **Vous** aimez Paris ? (forme polie) **Tu** aimes Paris ? (forme familière)

12 *Mettez à la forme polie et à la forme familière.*

visiter Paris – habiter Venise – parler français – détester Paris.

L'article : un, une, des

C'est qui ?
Silvio, **un** ami de Sylvie.
Marina, **une** amie de Sylvie.
Marina et Silvio, **des** amis de Sylvie.
Corinne et Isabelle, **des** amies de Sylvie.

	SINGULIER	PLURIEL
MASC.	**un** am**i**	am**is**
FÉM.	**une** am**ie**	**des** am**ies**

Remarque : Il est italien / C'est **un** Italien.

13 *Un, une, des ? Mettez l'article.*

... rencontre – ... monsieur – ... nom – ... avions – ... lettres – ... film – ... garçon – ... heure – ... train – ... ami – ... films – ... noms – ... trains – ... personne.

14 *Complétez avec un, une, des.*

Garçon, ... demi ! – C'est ... nom italien. – C'est ... avion français. – C'est ... lettre muette. – Il est ... heure et demie. – Vous avez ... amis ?

POUR BIEN PRONONCER

L'accent tonique

a. ami avéc avenué parlér français italién

b. Monsiéur → Monsieur Sichót → Monsieur Paul Sichót.

15 *Écoutez ; répétez.*

avion – regarder – garçon – midi – minuit – seulement – zéro – présenter.

16 *Écoutez ; répétez.*

Mallet → Cécile Mallet → Mademoiselle Cécile Mallet. – Lamy → Philippe Lamy → Monsieur Philippe Lamy. – Sylvie → Sylvie parle → Sylvie parle français. – Isabelle → Isabelle visite → Isabelle visite Venise. – un avion → un avion français → C'est un avion français. – un train → un train italien → C'est un train italien.

À Paris

17 *Quel dessin ? Quelle phrase ?*

a. Sylvie téléphone à Marina.
b. Marina chante en italien.
c. Christina étudie le français avec moi.
d. Vous chantez et vous dansez bien.
e. Ils travaillent à Venise.
f. Nous marchons dans le parc.
g. Elles regardent la télévision.
h. Elle présente Silvio à Isabelle.
i. Mes amis voyagent en France.

18 *Écrivez un texte avec les mots « aimer », « ami », « avec », « bonjour », « et »,*
« habiter », « non », « oui », « visiter », « voilà » et avec les mots de la page.

19 *Écoutez.*

— Pardon, monsieur. Vous avez l'heure ?
— Oui, il est quatre heures et demie.
— Merci beaucoup.
— Il n'y a pas de quoi.

— Vous permettez, madame ?
— Je vous en prie.

À vous ! Demandez :

une cigarette à votre voisin – à quelle heure est le train pour Nice –
une bière (au café)...

20 *Paris, c'est...*

Sur le plan, cherchez :

– le musée d'Orsay ;
– le quartier Saint-Germain-des-Prés ;
– la cathédrale Notre-Dame ;
– le Panthéon.

21 *Écoutez.*

J'ai deux amours

J'ai deux amours :
mon pays et Paris
Par eux toujours,
mon cœur est ravi.

Création JOSÉPHINE BAKER,
Musique de VINCENT SCOTTO.
Éditions Salabert, Paris.

4

leçon quatre (4)
quatrième leçon (4ᵉ)

Dix heures du soir !

SILVIO :	Quelle heure est-il, maintenant ?
SYLVIE :	Il est dix heures...
SILVIO :	Le film à la télévision est à dix heures et demie, n'est-ce pas ?
SYLVIE :	Non, à onze heures seulement. Comme toujours...

SILVIO :	À onze heures !... Est-ce qu'on joue aux cartes ?
MARINA :	Ah non ! Nous jouons souvent aux cartes ! Et moi, je n'aime pas beaucoup ça.
SILVIO :	Sylvie ! Tu ne joues pas du piano ?

SYLVIE :	Mais si ! Mais alors, vous chantez... en italien ou en français. D'accord ?
MARINA :	D'accord ! Nous chantons... Et nous dansons !
SYLVIE :	Ah non ! Chanter, oui ! Mais danser ? À dix heures du soir ? Jamais ! Et les voisins ?
SILVIO :	Et le piano, à dix heures du soir !

Des expressions

Oui	Non	Peut-être

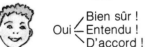

Oui ⟨ Bien sûr !
Entendu !
D'accord !

Non ⟨ Pas d'accord !
Pas du tout !

Oui ?
Non ?

| Ah ! | oui | → | Ah oui ! | Mais oui ! |
| Mais | non | | Ah non ! | Mais non ! |

Nous parlons | **souvent** **toujours** | anglais.   Nous regardons | **souvent** **toujours** | le film.

1 *Répondez. Choisissez une expression.*

Tu danses avec moi ?   Vous chantez en italien ?
Ça va bien, Hélène ?   Tu joues du piano ?
Vous parlez anglais ?   On regarde le film ?
Tu aimes Paris ?   Nous jouons aux cartes ?

2 *Pour exprimer une opinion.*

J'aime | un peu beaucoup | jouer du piano.
jouer aux cartes.
regarder la télévision.
écouter la radio.

Un élève demande : « Est-ce que tu aimes... ? » Un autre répond.

3 *Écoutez le dialogue de la page 28 et répondez.*

Le film est à quelle heure ?
Il est quelle heure maintenant ?
Marina aime la musique ?
Sylvie chante ? Elle danse ?
Et vous, vous chantez ? Vous dansez ? Vous aimez le piano ? Vous regardez des films à la télévision ? Vous aimez ça ?

4 *Vous aimez ça ?*

5 *Lecture ou dictée.*

À la maison, le soir, les trois amis écoutent la radio, jouent aux cartes ou regardent la télévision. Souvent aussi, ils marchent un peu dans les rues de Paris. Ils aiment beaucoup Paris le jour, mais ils préfèrent Paris la nuit !

Ne ... pas : la négation

Silvio et Marina jouent aux cartes, ils **ne** dansent **pas**.
Silvio et Marina **ne** jouent **pas** aux cartes, ils dansent.

Remarques :
1. Il **n'**aime pas les cartes :
   ne → **n'** + a, e, i, o, u.
2. **Ne ... jamais** comme **ne ... pas**.

6 *Faites les phrases avec la négation.*

Exemple : Cécile, regarder le film → Cécile ne regarde pas le film.

Gérard, écouter la radio – Sylvie, Corinne, visiter Paris – Marina, chanter en français – Luis, présenter Marie – Marie, aimer Louis.

Je demande... oui ou non ?

a. avec un pronom

Tu joues aux cartes ?	Oui, (je joue aux cartes).
Est-ce que tu joues aux cartes ?	Non, (je ne joue pas aux cartes).
Joues-tu aux cartes ?	

Remarques : 1. Tu ne joues pas aux cartes ? **Si**. 2. Aime-**t**-il, aime-**t**-elle, aime-**t**-on ?

7 *Posez la question. Faites l'exercice à trois.*

Exemple : Oui, je joue du piano. → Joues-tu du piano ?
ou Est-ce que tu joues du piano ? ou Tu joues du piano ?

Non, je ne regarde pas la télévision. – Oui, je visite Paris. – Non, je ne danse pas. – Oui, je travaille un peu. – Non, je n'écoute pas la radio.

Non, il déteste Venise. – Oui, il chante bien. – Oui, il parle français. – Non, il ne danse pas bien.

8 *Répondez oui ou non.*

Exemple : Est-ce que tu aimes le français ? → Non, je n'aime pas le français. ou Oui, j'aime le français.

Est-ce que tu danses bien ? – Tu regardes la télévision ? – Aimez-vous le café ? – Écoutez-vous de la musique ? – Ils jouent aux cartes ?

9 *Donnez les deux réponses.*

Exemple : Il n'aime pas Venise ? → Non, il n'aime pas Venise. ou Si, il aime Venise.

Il n'écoute pas la radio ? – Il ne regarde pas la télévision ? – Ils ne marchent pas dans la rue ? – Il n'habite pas à Paris ? – Il ne téléphone pas à Marie ?

b. avec un nom

Sylvie joue aux cartes ?	Oui, (elle joue aux cartes).
Est-ce que Sylvie joue aux cartes ?	Non, (elle ne joue pas aux cartes).
Sylvie joue-**t**-elle aux cartes ?	

10 *Posez la question.*

*Exemple : Oui, Sylvie joue du piano. → Sylvie joue du piano ? ou Est-ce que Sylvie joue du piano ?
ou Sylvie joue-t-elle du piano ?*

Non, Marina ne regarde pas la télévision. – Oui, Sylvie danse bien. – Non, Marie
n'aime pas Louis. – Oui, Silvio présente Marina à Corinne. – Oui, Marina préfère
Venise.

L'article : le, la, les

Le film, à **la** télévision, est à dix heures.
Et **les** voisins ?

	SINGULIER	PLURIEL
MASC.	**le** piano **l'**ami	piano**s** ami**s**
		les
FÉM.	**la** rue **l'**ami**e**	rue**s** ami**es**

11 *Mettez l'article.*

... nom – ... garçon – ... lettre – ... films – ... train – ... personne – ... café – ...
leçon – ... thé – ... boulevard – ... leçons – ... pianos – ... jardins – ... rue – ...
boulevards – ... radio – ... avion – ... avenues – ... heure – ... amie.

Le, un... de...

C'est **le** café **de** Silvio ? Non.
C'est **le** café **de** Marina ? Oui.

Marina, un seul ami → **l'**ami **de** Marina	Marina	un ami un ami un ami un ami un ami un ami	→ **un** ami **de** Marina

12 *Le café de Marina ? Un ami de Marina ? Mettez l'article.*

... thé de Marina (un seul thé) – ... rue de Paris (une rue, une rue, ...) – ... nom du
garçon (un seul nom).

POUR BIEN PRONONCER

L'intonation interrogative

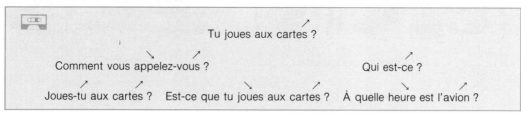

13 *Écoutez ; répétez.*

a. Tu joues aux cartes ? – Il regarde la télévision ? – Ils dansent bien ? – Elle
chante en français ? – Ils visitent Paris ? – Ils préfèrent Venise ? – Vous écoutez la radio ? – Nous regardons le film ?

b. Joues-tu aux cartes ? – Est-ce que tu joues aux cartes ? – À quelle heure est
l'avion ? – Quelle heure est-il ? – À quelle heure est le train ? – Est-ce que
vous dansez ? – Est-ce qu'elle regarde le film ? – Est-ce que tu écoutes la
radio ? – Est-ce que c'est le café de Marina ?

Activités et préférences

14 **_Posez les questions. Tu ou vous ?_**

Exemple : Sylvie (jouer du piano) → Est-ce que tu joues du piano ?

Madame Mallet (voyager souvent) →
Silvio et Marina (travailler à Venise) →
Cristina (étudier le français) →
Madame Rivot (téléphoner à madame Mory) →

15 **_Trouvez les dialogues._**

– ...
– Ah ! non. Merci.

– ...
– Je vous en prie !

– ...
– Quoi ?

– ...
– Comme ci, comme ça !

– ...
– Mais si !

16 **_Lecture._**

Le voisin de droite éteint sa TSF,
le voisin de gauche arrête son phono,
la voisine d'en haut cesse de glapir,
la voisine d'en bas ferme son piano.

RAYMOND QUENEAU, *Si tu t'imagines*, N.R.F., Le Point du jour.

17 *Est-ce que vous aimez ça ?*

Exemple : (radio, télévision) je → J'aime bien la radio, mais je préfère la télévision.

(Rome, Venise) nous →
(les films, les matchs de tennis) Silvio →
(la musique classique, le jazz) elles →
(le thé, le café) elle →
(jouer aux cartes, jouer du piano) Sylvie →
(le français, l'italien) je →

Est-ce que vous aimez le cinéma ?

SOUS LE SOLEIL DE SATAN

C.G. 26, rue Pasteur. 81.53.70.46.
PL. : 31 F. TR : Lun et – 18 ans.
1. *Séances : 14 h 15, 16 h 45,
19 h 15, 21 h 45.*
LA FAMILLE
2. *Séances : 13 h 45, 15 h 50,
17 h 55, 20 h, 22 h 05.*
SOUS LE SOLEIL DE SATAN
3. *Séances : 13 h 50, 15 h 55, 18 h,
20 h 05, 22 h 10.*
SOUL MAN (Dolby stéréo)
4. *Séances : 14 h, 16 h, 18 h, 20 h,
22 h.*
AGENT TROUBLE
5. *Séances : 14 h 05, 16 h 35,
18 h 05, 21 h 35.*
37 DEGRÉS 2 LE MATIN

Pour vous aider :

américain, français, franco-italien,
étranger.
comédie, drame, policier, film
d'aventure.

18 *Quelle est votre distraction préférée ?*

Les distractions des Français	en pourcentage
• Regarder la télévision	33
• Lire	16
• Aller au cinéma	12
• Le sport	11
• Écouter de la musique chez soi	8
• Sortir au restaurant, en boîte...	7
• Aller au concert ou au théâtre	4
• Les expositions, les musées	2
Sans opinion	7

« Le Monde RTL », *Les cahiers du cinéma*, Louis Harris, 8 mai 1986.

19 *Interview. Préparez les questions par écrit et interrogez votre voisin.*

« *Est-ce que tu... / ... vous ... »*

habiter à Rome
parler bien espagnol
voyager beaucoup
dormir souvent

jouer aux cartes, au tennis, du piano
écouter de la musique pop, du jazz
regarder la télévision
visiter les musées

LEÇON 3

- Demander une information, donner son opinion.
- Les personnes et les pronoms personnels sujets.
- Verbes réguliers au présent.
- Formes de politesse.
- L'article : un, une, des.
- L'accent tonique.
- À Paris.

APPRENEZ *par cœur*

le présent du verbe habiter.

---

expressions et mots nouveaux

Aimer, *v.*
Ami(e), *n.*
Aujourd'hui, *adv.*
Aussi, *adv.*
Avec, *prép.*
Avenue, *n. f.*
Beaucoup, *adv.*
Chanter, *v.*
Dans, *prép.*
Danser, *v.*
De, *prép.*
Des, *art. indéf.*
Détester, *v.*
Écouter, *v.*
Elle, elles, *pron. pers. f.*

En, *prép.*
Étudier, *v.*
Français(e), *n.*
Français(e), *adj.*
Habiter, *v.*
Ils, *pron. pers. m. plur.*
Italien(ne), *n.*
Italien(ne), *adj.*
Jouer, *v.*
Lui, *pron. pers. m. sing.*
Mais, *conj.*
Marcher, *v.*
Mes, *adj. poss.*
Musée, *n. m.*

Nous, *pron. pers. plur.*
On, *pron. pers.*
Parc, *n. m.*
Parler (à), (de), *v.*
Personne, *n. f.*
Peu (un peu), *adv.*
Préférer, *v.*
Quartier, *n. m.*
Télévision, *n. f.*
Tiens !, *interj.*
Tous, *pron. indéf.*
Travailler, *v.*
Tu, *pron. pers. sing.*
Visiter, *v.*
Voyager, *v.*

---

1 Faites des phrases.

Exemple : Marina / Sylvie / avec / visiter Paris /
Marina visite Paris avec Sylvie.

a. chanter / Marina et Silvio / avec / en italien / Sylvie /
b. nous / ensemble / regarder / la télévision /
c. je / Paris / habiter à / Venise / mais / préférer / je /
d. aimer / mais / aussi / elle / la radio / la télévision / elle / aimer /

2 Conjuguez le verbe.

Exemple : parler, 1ʳᵉ personne, singulier → Je parle.

aimer, 2ᵉ pers. sing. – habiter, 3ᵉ pers. plur. – parler, 1ʳᵉ pers. plur. – visiter, 1ʳᵉ pers. sing. – aimer, 3ᵉ pers. sing. – habiter, 2ᵉ pers. plur. – parler, 1ʳᵉ pers. plur. – visiter, 1ʳᵉ pers. sing. – aimer, 3ᵉ pers. plur.

3 Remplacez les mots soulignés.

a. Nous <u>habitons à</u> Paris. (visiter, aimer, étudier à)
   → *Nous visitons Paris. Nous...*
b. Je <u>téléphone à</u> Marina. (aimer, danser avec, écouter, parler de)
c. <u>Nous</u> regardons la télévision. (tu, elles, Marie, vous, je)
   → *Tu regardes la télévision. Elles...*
d. <u>Philippe</u> étudie à Paris. (nous, mes amis, elle, tu, Éric)

4 Écrivez les noms. C'est...

Pour l'exercice 2, revoyez la page 24.
Pour l'exercice 4, revoyez la leçon 2.
Apprenez les mots des leçons 1, 2 et 3, pages 20, 21 et 34.

LEÇON 4

─────── **expressions et mots nouveaux** ───────

Activité, *n. f.*
Alors, *adv.*
Anglais(e), *n.*
Anglais(e), *adj.*
Aux, *art, contracté plur.*
Bien sûr, *loc. adv.*
Boulevard, *n. m.*
Cartes, *n. f. plur.*
Cinéma, *n. m.*
Comme toujours, *loc. adv.*
Concert, *n. m.*
D'accord, *loc. adv.*
Du, *art. déf. m. sing.*

Est-ce que..., *adv. interrog.*
Exposition, *n. f.*
Jamais, *adv.*
Jardin, *n. m.*
Jour, *n. m.*
Lire, *v.*
Maintenant, *adv.*
Maison, *n. f.*
Musique, *n. f.*
Ne (n')... pas, *adv.*
N'est-ce pas ?, *adv. interrog. négatif*
Nuit, *n. f.*
Ou, *conj.*

Pas d'accord, *loc. adv.*
Pas du tout, *loc. adv.*
Peut-être, *adv.*
Piano, *n. m.*
Préférence, *n. f.*
Radio, *n. f.*
Répondre, *v.*
Restaurant, *n. m.*
Rue, *n. f.*
Si, *adv.*
Soir, *n. m.*
Souvent, *adv.*
Sport, *n. m.*
Théâtre, *n. m.*
Voisin(e), *n.*

■ **Exprimer ses préférences.**
■ **Proposer / accepter ou refuser une proposition.**

▶ **Ne ... pas : la négation.**
▶ **Je demande ... Oui ou non ?**
▶ **L'article : le, la, les. Le, un... de...**
▶ **L'intonation interrogative.**

● **Activités et préférences.**

1 *Transformez.*

Exemple : Ils regardent la télévision. → *Est-ce qu'ils regardent la télévision ?*

a. Sylvie déteste la radio. →
b. Elle chante bien. →
c. Elle danse aussi. →
d. Ils jouent aux cartes. →

2 *Remplacez les mots soulignés.*

Exemple : <u>Je</u> chante bien. (nous – tu) → ***Nous** chantons bien. **Tu** chantes bien.*

<u>Silvio</u> aime voyager. (tu – vous – Marina – Monsieur et madame Rivot) →
<u>Tu</u> voyages <u>beaucoup</u>. (vous /peu – Marina / assez souvent) →
Est-ce que <u>tu</u> étudies à <u>l'Université</u> ? (tu / à Paris – ils / avec Sylvie – elle / à l'Alliance française) →

3 *Devant chaque mot, écrivez l'article le, la ou l' et mettez M pour masculin ou F pour féminin.*

Exemple : ... film ( ) → *le film (M)*

... heure ( )   ... voisin ( )   ... avion ( )
... horloge ( )   ... carte ( )   ... amie ( )
... musée ( )   ... thé ( )   ... musique ( )

4 *Voici des questions.*

À quelles questions peut-on répondre par Si *?*

a. Sylvie joue du piano ? ☐
b. Est-ce que Sylvie ne parle pas italien ? ☐
c. Vous ne parlez pas français ? ☐
d. Ils voyagent en Italie, n'est-ce pas ? ☐
e. Ils ne travaillent pas ? ☐
f. Paul n'écoute pas la radio ? ☐

5 *Faites des phrases avec les mots.*

a. joues / aux cartes / tu / souvent /
b. ne / le film / regarde / pas / elle /
c. beaucoup / écoutez / la radio / vous /

Faites une liste des noms féminins des leçons 1, 2, 3 et 4 avec la ou l'. Faites une liste des noms masculins des leçons 1, 2, 3 et 4 avec le ou l'. Apprenez les deux listes par cœur.

5

Étudiante et dactylo

LE PROFESSEUR :	Bonsoir, mademoiselle. Qu'est-ce que vous désirez ?
L'ÉTUDIANTE : .	Bonsoir, madame. Je suis étudiante. Dans votre classe...
LE PROFESSEUR :	Ah ! vous êtes une nouvelle étudiante ?
L'ÉTUDIANTE :	Oui, madame.
LE PROFESSEUR :	Ici, nous sommes en troisième année de français... Salle 25.
L'ÉTUDIANTE :	C'est bien ça, madame. Salle 25. Troisième année...

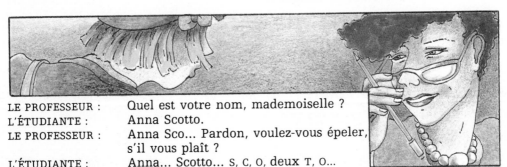

LE PROFESSEUR :	Quel est votre nom, mademoiselle ?
L'ÉTUDIANTE :	Anna Scotto.
LE PROFESSEUR :	Anna Sco... Pardon, voulez-vous épeler, s'il vous plaît ?
L'ÉTUDIANTE :	Anna... Scotto... S, C, O, deux T, O...

LE PROFESSEUR :	Vous êtes en retard, Anna. En retard de vingt minutes. Le cours commence à six heures, et il est six heures vingt !
L'ÉTUDIANTE :	Excusez-moi, madame. Je suis étudiante, mais je suis aussi dactylo... Dans une banque... Loin d'ici...
LE PROFESSEUR :	C'est entendu, Anna. Mais,... l'heure c'est l'heure !

Quelques nombres...

Dix ... Onze				
	12 douze	20 vingt	40 quarante	
	13 treize	21 vingt et un	41 quarante et un	
	14 quatorze	22 vingt-deux	...	
	15 quinze	23 vingt-trois	...	
	16 seize	...	50 cinquante	
	17 dix-sept	...	51 cinquante et un	
	18 dix-huit	30 trente	60 soixante	
	19 dix-neuf	31 trente et un		
		32 trente-deux	**Attention !**	
			vingt et un	
			trente et un	

1 *Vrai ou faux ?*

    a. Anna est étudiante.
    b. Elle est en 1re année de français.
    c. Elle s'appelle Anna Giuliani.
    d. Aujourd'hui elle arrive en avance.
    e. Le cours commence à six heures.
    f. Elle travaille dans une agence de voyages.

VRAI	FAUX

2 *Le cours commence à six heures !*

Elle est en avance.

Elle est à l'heure.

Elle est en retard.

3 *Quelle heure est-il ?*

Il est six heures et quart ou six heures quinze. `06 15`   Il est six heures juste. `06 00`

Il est six heures et demie ou six heures trente. `06 30`   Il est six heures vingt. `06 20`

Il est six heures cinquante-cinq ou sept heures moins cinq. `06 55`

4 *Trouvez la question.*

    Je suis étudiante. – Le cours commence à six heures. – Anna Scotto. – Oui, madame, dans une banque. – Non, madame, en troisième année. – Non, je suis dactylo.

5 *Lecture ou dictée.*

    Anna Scotto est une nouvelle étudiante. Elle est en troisième année de français. Aujourd'hui, elle est en retard : le cours commence à six heures ! Anna est dactylo dans une banque loin de l'Alliance, mais l'heure, c'est l'heure...

De midi à minuit. Quelle heure est-il ?

minuit								midi								minuit
0	1 2 3 4 5 6 7 8 9 10 11							12	13 14 15 16 17					18 19 20 21 22 23		24
									1 2 3 4 5					6 7 8 9 10 11		
	du matin								**de l'après-midi**					**du soir**		

Remarque :

11 00	onze heures du matin *ou* onze heures (heure officielle).
14 05	deux heures cinq (de l'après-midi) *ou* quatorze heures cinq (heure officielle).
21 45	dix heures moins le quart *ou* vingt et une heures quarante-cinq (heure officielle).

6 *Donnez l'heure.*

09 10	16 30	18 00	04 20	07 25	22 25	24 00	02 15	00 05	13 33

Je demande... Qui ? Qui est-ce qui ? Que ? Qu'est-ce que ?

Qui est en retard ? **Qui est-ce qui** est en retard ?	**Anna Scotto** est en retard.
Qu'est-ce qui commence à six heures ?	**Le cours** commence à six heures.
Que désirez-vous ? **Qu'est-ce que** vous désirez ?	Je désire **un café.**

Je demande le nom...

Comment vous appelez-vous ? **Comment est-ce que** vous vous appelez ?	Je m'appelle **Anna Scotto.**
Qui êtes-vous ?	Je suis **Anna Scotto.**
Quel est votre nom ?	Mon nom est **Anna Scotto.**

7 *Faites l'exercice à deux.*

Exemple : Qui écoute la radio ? (Silvio) → *Silvio écoute la radio.*

Qui est-ce qui joue du piano ? (Sylvie) – Qui est-ce qui visite Paris ? (Corinne) – Qui danse bien ? (Marina et Silvio) – Qui est-ce qui aime Louis ? (Marie) – Qu'est-ce qui est à dix heures ? (le film).

8 *Faites l'exercice à deux.*

Exemple : Qu'est-ce que vous regardez ? (le film) → Nous regardons **le film**.

Qu'est-ce que vous écoutez ? (la radio) – Comment dansez-vous ? (bien) – Comment est-ce que vous chantez ? (en français, en italien).

9 *Qui êtes-vous ? Quel est votre nom ? Répondez.*

Gérard – René – Louis – Gaston.   Et vous ?

10 *Posez les questions.*

Exemple : Anna Scotto est en retard. → Qui est en retard ? *ou* Qui est-ce qui est en retard ?

Le professeur écoute la radio. – Le cours commence à six heures. – L'étudiante travaille à la banque. – Le cours est en salle 25.

11 *Posez les questions.*

Exemple : Je désire un thé. → Que désirez-vous ? *ou* Qu'est-ce que vous désirez ?

Elle désire un thé. – Ils écoutent la radio. – Elles regardent la télévision. – Je m'appelle François. – Elle s'appelle Marie. – Elle danse bien.

Le verbe être au présent

S	1	Je	**suis** étudiante.	Nous **sommes** en 1re année.	1	P
I N G U	2	Tu	**es** Anna ?	Vous **êtes** dactylo ?	2	L U R
L I E R	3	On Il Elle	**est** en retard.	Ils **sont** dans la classe. Elles	3	I E L

12 *Complétez avec le verbe ou le pronom.*

Il ... trois heures. – Elle ... dactylo. – On ... en 1re année. – Ils ... en retard. – Vous ... Anna. – On ... dans le train. – Nous ... à la banque. – Elles ... à l'Alliance. – ... est étudiante. – ... sommes étudiants. – ... sont français. – ... est en retard.

POUR BIEN PRONONCER

L'intonation des phrases affirmatives et négatives

Elle est là. Je désire du café.   Je suis étudiante, mais je suis aussi dactylo dans une banque.

Il n'est pas six heures.   Il est six heures et je ne suis pas en retard.

13 *Écoutez ; répétez.*

a. Elle est là. – C'est Anna. – Oui, madame. – Bonsoir, mademoiselle. – C'est bien ça. – Ça va bien. – Enchanté, madame. – Comme toujours.
b. On n'est pas en retard. – Elle ne chante pas, elle ne danse pas et elle n'écoute pas de musique. – Il ne regarde pas la télévision, il n'aime pas le cinéma, il n'écoute pas la radio et il ne joue pas aux cartes.

Au fil des heures

14 *Où allez-vous ?*
À quelle heure partez-vous ?

15 *Vous êtes à Nice et vous allez à Paris.*
Demandez à quelle heure part le premier train, le deuxième, le dernier.
À quelle heure arrive le premier train à Paris, le deuxième et le dernier ?

SNCF
Nice – Paris

Nice-Ville	D	06.41		08.35		12.46	14.43	17.49		
Cagnes-sur-Mer	D									
Antibes	D	06.58		08.52		13.02	14.59	18.04		
Juan-les-Pins	D			08.56						
Cannes	D	07.09		09.06		13.12	15.10	18.15		
Marseille-St-Charles	A	09.08		11.15			17.00	17.31	20.12	20.27
Arles	A	09.58					17.52			
Avignon	A	10.18		12.26		15.54	18.14	18.23		
Orange	A			12.44			18.52			23.23
Valence	A	11.31		13.35		16.51	19.36	19.18		00.26
Lyon-Perrache	A			13.20						01.33
Lyon-Part-Dieu	A		12.41	13.27	14.40		20.35			
Macon-Ville	A		13.23							
Dijon-Ville	A	14.33			14.48					03.27
Paris-Gare-de-Lyon	A			15.34	16.28		19.51		22.17	06.30

16 *Lecture.*

PAGE D'ÉCRITURE

Deux et deux quatre
Quatre et quatre huit
Huit et huit font seize...
Répétez ! dit le maître

Deux et deux quatre
Quatre et quatre huit
Huit et huit font seize.
[...]
Et seize et seize qu'est-ce qu'ils font ?

JACQUES PRÉVERT, *Paroles*, Gallimard.

17 *La journée et les repas en France.*

Pascal déjeune
à midi et demi.

La famille Martin déjeune à huit heures.

José
déjeune à midi.

Élise et Julie goûtent
à quatre heures et demie.

Et dans votre pays ?

18 *Écoutez.*

 **Comment j'ai perdu mes pas
à la gare Saint-Lazare**

Mon ami Edgar
M'a dit hier au soir :
« A midi et quart,
Gare Saint-Lazare ! »
Il est en retard
Mon ami Edgar.
Je flâne au hasard,
Gare Saint-Lazare.

[...]

À une heure et quart,
C'est vraiment trop tard.
Tant pis pour Edgar :
Pas perdus, je pars !

Paris des enfants,
Paroles de J. CHARPENTREAU,
L'École des loisirs, Paris, 1978.

Véronique et Vincent dînent à vingt et une heures.

6

Vous travaillez assez ?

Mesdames, Messieurs...

Voici les lauréats du concours de français.

— Mademoiselle, qui êtes-vous ?
— Je m'appelle Anna. Anna Scotto... Je suis italienne et j'habite à Rome... Je voudrais être professeur de français en Italie.
— Pour vous, le français, c'est facile ?
— Oh ! facile... peut-être..., mais je ne travaille pas beaucoup en classe.
— Pourquoi ?
— J'aime Paris... J'aime marcher dans les rues... J'aime bien visiter les musées... Je travaille aussi dans une banque et je suis fatiguée...
— Et pourtant, Anna est la première de la classe !

— Et vous, monsieur ?
— Moi, je m'appelle Jack Bennet. Je suis de Los Angeles.
— Vous voulez être professeur de français, vous aussi ?
— Non. Moi, je voudrais être interprète à l'O.N.U. J'étudie aussi l'italien.
— Alors, vous travaillez beaucoup ?
— Oui, beaucoup.

— Et, vous, monsieur... vous êtes ?
— Koffi Tetégan. Togolais. De Lomé. Moi, je voudrais étudier le droit international à l'Université.
— Vous parlez bien français, monsieur Tetégan !
— Merci... mais pas encore assez bien pour l'Université... Anna et Jack, eux, travaillent beaucoup...
— Et vous ?
— Moi ? Un peu !
— Vous visitez Paris, vous aussi ?
— Oui, avec ma petite amie française.

1 *Je voudrais + verbe à l'infinitif :*

      a. pour exprimer un désir, un souhait :
je voudrais être professeur de français ; je voudrais être interprète à l'O.N.U. ;
je voudrais étudier le droit international.

      b. pour faire une demande polie :
je voudrais téléphoner.

2 *Qu'est-ce qu'ils disent ? Vrai ou faux ?*

	VRAI	FAUX

ANNA : Je voudrais être interprète à l'O.N.U.

JACK : Le français, c'est facile.

KOFFI : Je suis à l'Université.

LE PRÉSENTATEUR : Anna est la première de la classe.

KOFFI : Anna et Jack travaillent beaucoup.

JACK : Je visite les musées.

3 *Faites des phrases complètes.*

    a. Comment vous appelez-vous ?
    b. Elle est très fatiguée,
    c. Elle ne parle pas assez bien
       le français
    d. Elle travaille dans une banque, loin
       de l'école,
    e. Pour elle, le français c'est très facile
    f. Elle joue aux cartes avec moi,

- mais elle n'aime pas beaucoup ça !
- alors, elle ne travaille pas beaucoup.
- alors, elle est toujours en retard.
- Anna Scotto.
- pourtant elle est toujours la première !
- pour étudier à l'Université.

4 *Regardez.*

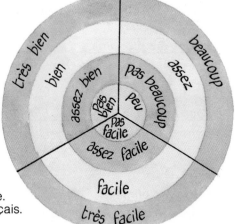

Relisez le dialogue de la page 42.

    a. Pour Anna, le français, c'est facile.
    b. Anna et Jack travaillent beaucoup.
    c. Anna ne travaille pas beaucoup.
    d. Étudier le français et travailler
       dans une banque, ce n'est pas facile.
    e. Koffi ne parle pas assez bien le français.

Maintenant, faites des phrases avec :

beaucoup, pas beaucoup – c'est facile, ce n'est pas facile – assez bien, bien,
très bien.

5 *Lecture ou dictée.*

    Anna Scotto, Jack Bennet et Koffi Tetégan sont trois lauréats du concours de
français. Anna est italienne, Jack américain et Koffi togolais.
Pour être professeur de français en Italie, interprète à l'O.N.U. ou pour étudier le
droit international à l'Université, ils travaillent beaucoup !

Pronoms personnels sujets : rappel

S I N G U L I E R	1re pers.	**Je** travaille.	masculin et féminin	**Nous** travaillons.	P L U R I E L
	2e pers.	**Tu** aimes.	masculin et féminin	**Vous** chantez.	
	3e pers.	**On** visite. **Il** danse. **Elle** danse.	masculin et féminin masculin féminin	**Ils** écoutent. **Elles** marchent.	

Remarque :
j'aime :
je → **j'** + a, e, i, o, u

6 *Mettez les pronoms.*

... aiment. – ... visites. – ... travaillez. – ... étudie. – ... danse. – ... jouent.

Pronoms personnels toniques

S I N G U L I E R	1re pers.	**Moi,** je travaille.	**Nous,** nous dansons.	P L U R I E L
	2e pers.	**Toi,** tu marches.	**Vous,** vous voyagez.	
	3e pers.	**Lui,** il écoute. **Elle,** elle étudie.	**Eux,** ils parlent. **Elles,** elles jouent.	

Remarques :
1. Qui danse ? → Je danse !
   ou Moi, je danse ! *ou* Moi !
2. ... et moi → nous ;
   toi et ..., ... et toi → vous.
3. Je joue **avec lui.**
   Je chante **pour eux.**
   Nous parlons **de toi.**

7 *Mettez les pronoms.*

*Exemple :... tu chantes ? → **Toi,** tu chantes ?*

..., j'écoute ? – ..., ils marchent ? – ..., il voyage ? – ..., je danse ? – ..., tu joues ?

8 *Vous travaillez bien ? très bien ? mal ? Répondez.*

Exemple : Mme Lamy ? (très bien) → Elle, elle travaille très bien.

John ? (bien) – Sylvie ? (très bien) – Philippe ? (assez mal) – Nous ? (assez bien) – Anna et Jack ? (mal).

9 *Faites les phrases.*

Exemple : Paul et moi, écouter la musique → Paul et moi, nous écoutons la musique.

Silvio et moi, visiter Rome – Jack et toi, regarder la télévision – Koffi Tetégan et toi, travailler beaucoup – toi et Sylvie, marcher dans les rues – Juan et moi, être fatigués – toi et Saïd, être professeurs.

10 *Répondez.*

Exemple : Vous voyagez avec Marina ? → Non, je ne voyage pas avec elle.

Vous étudiez l'anglais avec Anne et Henri ? (oui) – Vous jouez avec Irène et Adèle ? (non) – Vous travaillez pour Mme Lamy ? (non) – Tu regardes la télévision avec Éric ? (oui).

11 *Complétez avec des pronoms toniques.*

Marina èt..., vous visitez Paris ? – Silvio et..., nous sommes en retard. – ..., tu es à l'heure. – Anna, ..., travaille dans une banque. – ..., il joue du piano. – ..., je marche dans la rue. – ..., elles regardent la télévision. – Je ne parle pas de..., je parle de... . – Toi et..., nous jouons aux cartes.

Verbe + verbe à l'infinitif

J'aime voyager.	→ Je **n'**aime **pas** voyager.
Je voudrais être professeur de français.	→ Je **ne** voudrais **pas** être professeur de français.

Remarque : J'aime voyager. *ou* J'aime **bien** voyager.

12 *Vous aimez bien ou vous n'aimez pas ? Répondez avec oui et non.*

Exemple : voyager en autobus (il) → *Oui, il aime bien voyager en autobus. ou **Non**, il n'aime pas...*

parler anglais (il) – jouer au football (ils) – chanter avec vous (nous) – dîner au restaurant (nous) – arriver en retard (tu) – être à l'heure (elles). Et vous ?

Réponses : ... moi aussi, ... moi non plus

– J'aime danser. Et toi ?	– Je n'aime pas danser. Et toi ?
– (Oui,) **moi aussi**.	– (Non,) **moi non plus**.
– (Non,) **pas moi**.	– **Moi si** (, j'aime danser).

13 *Répondez.*

Exemple : Vous, vous aimez Paris. Et eux ? → *Eux aussi. ou Pas eux.*

Moi, j'aime écouter la radio. Et toi ? – Éric et René ne sont pas dans la classe. Et elles ? – Lui, il étudie le droit. Et elle ? – Nous n'aimons pas jouer aux cartes. Et eux ? – Toi, tu détestes voyager en avion. Et lui ? – Nous, nous aimons marcher dans les rues. Et lui ? – Eux, ils travaillent dans une banque. Et moi ?

POUR BIEN PRONONCER

L'enchaînement voyelle / voyelle

René et Hélène → prononcer : René et Hélène.

14 *Écoutez ; répétez.*

a. Voici Anne et voilà Alain. – Voici Olivier et voilà Éric. – Voici Julie et voilà Isabelle. – Voici Isabelle et voilà Anne. – Voici Éric et voilà Odile. – Voici Yvette et voilà Yves.

b. Tu as un appartement ? – Lui, il a une voiture. – Eux, ils ont un studio. – Lui, il est avec toi ou avec moi ? – Eux, ils sont avec vous ou avec nous ?

Écoutez une deuxième fois et écrivez.

Travail et loisirs

15 _Écoutez Anna._

> Je m'appelle Anna. Anna Scotto...
> Je suis italienne et j'habite à Rome.
> Je voudrais être professeur de français en Italie.

Et vous ? Qui êtes-vous ? Qu'est-ce que vous voulez faire ?

Qu'est-ce que vous aimez faire ?

16 Heineken, la bière qui fait aimer la bière

Oasis, oasis, tout le monde aime ça

J'AIME, J'AIME, J'AIME...

C'est Shell que j'aime

Dunlopillo, dormez comme vous aimez

Écrivez une autre publicité avec le verbe « aimer ».

17 _Voici une page de l'agenda d'Anna. Qu'est-ce qu'elle fait le 2, le 3, le 4 janvier ?_

VENDREDI	2	SAMEDI	3	DÉC./JANV.
s Basile	Tx 2	1ª Geneviève	Tx 3	Semaine 1

Notes... Notes... Notes... Notes... Notes...

8 — Battere a macchina lettera Sig. Dupré ①

Footing ④

30 PRANZO con 30 Nicole ②

Giro in centro con Odile ⑤

Lezione di francese ③

Serata musica da Sylvie ⑥

Impératif — Chiamare Sig. Rivot ⑧

1. Taper une lettre à la machine pour monsieur Dupré
2. Déjeuner avec Nicole
3. Cours de français
4. Jogging
5. Courses avec Odile
6. Soirée "piano" chez Sylvie
7. Cinéma avec Alain.
8. Appeler monsieur Rivot

DIMANCHE	4	Épiphanie	Tx 4

Cinema con Alain ⑦

DÉC./JANV.
Semaine 1
du 29 Déc. 1986 au 4 Janv. 1987

18 *Nathalie et Abou aiment le cinéma, mais 36 % des Français ne vont jamais au cinéma.*

Et vous ?

Allez-vous au cinéma ?		% par type	
Deux fois par semaine ou plus .	1	}	9
Une fois par semaine	3		
Deux à trois fois par mois	5		
Une fois par mois	10	}	20
Une fois tous les deux			
ou trois mois	10		
Une fois tous les six mois	13	}	34
Une fois par an	10		
Moins d'une fois par an	11		
Jamais	36		
Sans réponse	1		

19 *Remplissez ce tableau et interrogez votre voisin sur ses loisirs.*

Vos loisirs	**beaucoup**	**pas beaucoup**	**pas du tout**
le cinéma			
le théâtre			
le sport			
la musique			
les expositions			
les voyages			
la lecture			

20 *Lecture.*

Il est seul. Il ouvre le piano, il approche une chaise, il se juche dessus. Pourquoi attend-il d'être seul ? [...]
C'est tellement plus beau quand on est seul ! [...]
Mais le plus beau de tout, c'est quand on met deux doigts sur deux touches à la fois.

ROMAIN ROLLAND, *Jean-Christophe*, « L'aube », Albin Michel.

Pour travailler à la maison

- ■ *Préciser son identité.*
- ■ *S'excuser et se justifier.*
- ■ *Dire l'heure.*

- ▶ *De midi à minuit. Quelle heure est-il ?*
- ▶ *Je demande ...*
  Qui ? Qui est-ce qui ?
  Que ? Qu'est-ce que ?
- ▶ *Je demande le nom.*
- ▶ *Le verbe être au présent.*
- ▶ *L'intonation des phrases affirmatives et négatives.*

- ● *Au fil des heures.*

APPRENEZ

par cœur

le verbe être.

Pour l'exercice 2, regardez la page 38.
Pour l'exercice 3, regardez la page 39.

LEÇON 5

--- **expressions et mots nouveaux** ---

Agence, *n. f.*
Aller, *v.*
Année, *n. f.*
Après-midi, *n. m.*
Arriver, *v.*
Avance (en), *loc. adv.*
Banque, *n. f.*
Classe, *n. f.*
Commencer, *v.*
Cours, *n. m.*
Dactylo, *n. f.*
Déjeuner, *v.*
Désirer, *v.*

Dîner, *v.*
Êtes, *v.* (être)
Étudiant(e), *n.*
Excuser, *v.*
Goûter, *v.*
Ici, *adv.*
Juste, *adv.*
Là, *adv.*
Loin de (d'), *loc prép.*
Matin, *n. m.*
Minute, *n. f.*
Nombres (13 à 69)
Nouvelle, *adj. f. sing.*

Professeur, *n. m.*
Quel, *adv. interrog. m. sing.*
Qu'est-ce que...,
qu'est-ce qui..., *pron. interrog.*
Retard (en), *loc. adv.*
Salle, *n. f.*
Sommes, *v.* (être)
Suis, *v.* (être)
Vouloir, *v.*
Voyage, *n. m.*

1   <u>Quelle est la bonne réponse ?</u>

a. Vous travaillez dans une banque ?
Souvent / Oui / Entendu.
b. Est-ce que vous jouez au tennis avec moi ?
Pas du tout / D'accord / Toujours.
c. Le soir, Sylvie regarde la télévision ?
Bonsoir / Merci / Jamais.
d. Vous dansez avec moi ?
Oui, bien sûr / L'après-midi / Si.
e. Est-ce qu'ils n'aiment pas Venise ?
Aussi / Oui / Si.

2   <u>Écrivez l'heure.</u>

Exemple : | 8 h 20 | → *huit heures vingt.*

| 08 20 | | 11 24 | | 03 27 | | 15 42 | | 20 45 |

| 06 15 | | 21 55 | | 00 02 | | 10 40 | | 23 05 |

3   <u>Quel est le verbe ?</u>

a. Nous ...... dans la salle 25.   suis
b. Venise .... en Italie.   est
c. Ah ! vous .... une nouvelle étudiante !   sommes
d. Je .... en première année de français.   es
e. Tu .... italien ou français ?   êtes

4   <u>Mettez les numéros de 1 à 9 dans l'ordre logique des</u>
<u>phrases.</u>

☐   – Vous êtes en troisième année ?
☐   – Ah ! Comment vous appelez-vous ?
1   – Entrez !
☐   – C'est entendu, Barbara.
☐   – Le cours commence à six heures, Barbara.
☐   – Barbara... Barbara Ford.
☐   – Bonjour, madame. Je suis une nouvelle étudiante.
☐   – Oui, excusez-moi madame... J'habite loin d'ici.
☐   – Oui, dans votre classe.

LEÇON 6

Pour travailler à la maison

expressions et mots nouveaux

Agenda, *n. m.*
Américain(e), *adj.*
Assez, *adv.*
Autobus, *n. m.*
Concours, *n. m.*
Droit, *n. m.*
Encore, *adv.*
Eux, *pron. pers. m. plur.*

Facile, *adj.*
Fatigué(e), *adj.*
International(e), *adj.*
Interprète, *n.*
Lauréats, *n. m. plur.*
Loisirs, *n. m. plur.*
Mesdames, *n. f. plur.*
Messieurs, *n. m. plur.*
Oh !, *interj.*

Petit(e), *adj.*
Plus (non), *loc. adv.*
Pourquoi, *adv. interrog.*
Pourtant, *conj.*
Togolais(e), *adj.*
Travail, *n. m.*
Université, *n. f.*
(Je) voudrais..., *v.*
vouloir

- Parler de soi.
- Exprimer un jugement.
- Exprimer un souhait.
► Pronoms personnels sujets : rappel.
► Pronoms personnels toniques.
► Verbe + verbe à l'infinitif.
► Réponses : ... moi aussi, ... moi non plus.
► L'enchaînement voyelle / voyelle.
• Travail et loisirs.

1 *Révision.*

C'est moi.

Répondez.

C'est toi.   C'est lui.

– C'est toi, Jack ?
– Oui, ...

– C'est Anna ?
– Non, ...

C'est elle.

– Alors, c'est toi ?
– Non, ...

– C'est lui, Jack ?
– Oui, ...

2 *Faites un dialogue avec les éléments :*

visiter / dans les rues / je n'aime pas / moi non plus /
je préfère / moi / et toi ? / les musées / marcher /

3 *Il ou lui ? Répondez par écrit.*

Exemples : – <u>Koffi</u> parle avec Jack ? – Oui, *il* parle avec Jack.
         – Est-ce que tu visites Paris avec <u>Jack</u> ? – Oui, je visite
         Paris avec *lui*.

a. – Il joue au tennis avec <u>Silvio</u> ? – Oui, ...
b. – Est-ce que <u>Philippe</u> aime le sport ? – Oui, ...
c. – <u>Jean</u> est à Paris ? – Non, ...
d. – Jack étudie l'italien avec <u>Bruno</u> ? – Non, ...

APPRENEZ *par cœur*

le présent des verbes travailler, aimer, visiter, danser, chanter, écouter *et* marcher.

4 *Écrivez les questions.*

a. – ...
  – Non, je n'aime pas visiter les musées.

b. – ...
  – Oui, j'étudie aussi l'italien.

c. – ...
  – Oui, avec ma petite amie française !

Pour l'exercice 4, relisez le dialogue de la page 42.

7

Choses et gens

— Tiens ! Voilà les deux sœurs ! Salut, Pam ! Salut, Karine ! Ça va ?
— Oui, et toi, Fred ?
— Ça va... Vous avez un cours l'après-midi ?
— Oui, de deux heures à trois heures et demie. Et toi ?
— Moi, c'est le matin que j'ai cours. De huit à dix...
— À huit heures du matin ! Et tu arrives à l'heure ?
— Oui, mais... j'ai une voiture... Et vous, vous avez une voiture ?
— Hélas, non. Mais le bus passe à côté de la maison.

— Ah ! Vous habitez en ville ? À l'hôtel ?
— Non. Nous avons une chambre dans
l'appartement d'une vieille dame. Et toi ?
— Moi, j'ai un studio... En banlieue.
— En banlieue ? Loin d'ici ? Et tu as des copains en banlieue ?
— Bien sûr ! J'ai des copains... et des copines aussi !

Voici une photo de Jean Demy avec sa famille.
C'est sa femme, Irène, qui est à côté de lui.
Les Demy ont trois enfants : un fils, René (c'est lui
qui est à côté de sa mère). Il a douze ans. Et deux filles,
Hélène, neuf ans, et Véronique, sept ans.
Sur la photo, les deux sœurs sont devant les parents.

1 _Trouvez les questions (relisez le dialogue de la page 50)._

       a. Oui, et toi, Fred ?

       b. Oui, de deux heures à trois heures et demie.

       c. Oui, mais j'ai une voiture.

       d. Hélas non, mais le bus passe à côté de la maison.

       e. Non, nous avons une chambre dans l'appartement d'une vieille dame.

       f. Bien sûr ! J'ai des copains... et des copines aussi !

2 _À quelle heure ? À cinq heures._

De quelle heure à quelle heure ? De cinq à sept.

BANQUE NATIONALE DE PARIS

HEURES D'OUVERTURE de 8h30 à 12h30 et de 13h30 à 16h30

Studio 16 "AU REVOIR LES ENFANTS"
Film à : 14h – 16h – 18h

La banque est ouverte quand ?   Le film commence à quelle heure ?

POSTES Levées: 10h 13h 15h 20h

À quelle heure est la première levée ? la quatrième ?

Docteur Coulon CONSULTATIONS lundi, Mardi, Jeudi Samedi de 13h à 17h

Le docteur Coulon consulte aujourd'hui ?

3 _Vrai ou faux ?_

	VRAI	FAUX
a. Jean Demy est le frère d'Irène.		
b. René est le frère de Véronique.		
c. Hélène et Véronique sont les sœurs de Jean.		
d. René est le fils d'Irène.		
e. Véronique est la fille d'Hélène.		
f. Hélène, Véronique et René sont les enfants de Jean et d'Irène.		

4 _Est-ce qu'ils sont sur la photo ? Oui ? Non ? Où ?_

       Irène – René – Pam et Karine – les trois enfants – Hélène – Fred.

5 _Relisez le dialogue de la page 50, notez le verbe_ avoir _et répondez aux questions._

avoir (un) cours :   J'ai cours à 10 heures. Et vous, à quelle heure avez-vous cours ?

avoir ... ans :   René a douze ans. Et vous, quel âge avez-vous ?

avoir des copains, un fils, une fille... :   Avez-vous des enfants ?

avoir une voiture, une chambre, un studio... :   Vous avez une voiture ?

6 _Lecture ou dictée._

       Fred, Karine et Pam étudient le français, mais ils ne sont pas dans la même classe. Fred a cours le matin, de huit à dix. Karine et sa sœur ont cours l'après-midi, de deux heures à trois heures et demie. Les trois étudiants habitent loin de l'Alliance, mais Fred a une voiture, et le bus passe à côté de la maison de Karine et de Pam.

POUR PRATIQUER LA GRAMMAIRE

Le verbe avoir au présent

S	1	J'	**ai** une voiture.	Nous **avons** deux filles.	1	P
I	2	Tu	**as** des enfants ?	Vous **avez** une chambre ?	2	L
N		On		Ils		U
G	3	Il	**a** cours.	**ont** des copains.	3	R
L		Elle		Elles		I
						E
						L

7 *Complétez.*

*Exemple : Tu ... une voiture ? → Tu **as** une voiture ?*

Il ... un studio. – Nous ... cours. – On ... des cartes. – Ils ... la télévision. – Elle ... deux frères. – J'... des copines. – Elles ... des copains. – Vous ... quel âge ?

Le genre : masculin, féminin

	singulier			pluriel	
masculin	**un**	fils	**Il** a dix ans.	**des** fils	**Ils** ont dix ans.
	le				
féminin	**une**	fille	**Elle** a dix ans.	**les** filles	**Elles** ont dix ans.
	la				

Remarques : 1. Personnes : un ami (masc.) / une amie (fém.) ;
un étudiant (masc.) / une étudiante (fém.)
mais : le mari (masc.) / la femme (fém.) ; le frère (masc.) / la sœur (fém.), etc.
2. Le ou la + a, e, i, o, u → Exemples : l'ami, l'amie.

8 *Masculin ou féminin ?*

photo – dame – copains – voiture – garçon – mari – famille – appartement – fils – frère – sœur – femme.

9 *Masculin ou féminin ? Complétez.*

*Exemple : C'est ... fille de Jean ; ... a neuf ans. → C'est **la** fille de Jean, **elle** a neuf ans.*

C'est Pam ; c'est ... sœur de Karine ; ... a cours à deux heures ; ... est à l'heure. – Fred a ... voiture ; ... habite dans ... studio en banlieue ; ... a ... copains et ... copines. – Hélène et Véronique sont ... sœurs de René ; René a douze ans ; ... est sur ... photo. – Pam et Karine sont sœurs ; ... ont ... chambre dans ... appartement d'... vieille dame.

10 *Quelle voiture ?*

*Exemple : Fred a une voiture ? Oui, il a **une** Renault.*

Silvio, Fiat Uno – Sylvie, Renault Super 5 – M. et Mme Lamy, Citroën BX – Anna, Alfa-Romeo – Koffi Tetégan, Toyota – Paul Sichot, Peugeot 205.

C'est ... qui ...

Irène est à côté de lui.	→ **C'est** Irène **qui** est à côté de lui.
La radio marche.	→ **C'est** la radio **qui** marche.

Remarques :

1. Irène : personne ; la radio : chose → **sujets** → **c'est ... qui.**
2. Je, tu, il ; pronoms sujets → c'est moi, toi, lui... qui.
3. Ils, elles : pronoms sujets → ce sont eux, ce sont elles... qui.

11 *Mettez c'est ... qui.*

Exemple : René a douze ans. → *C'est René **qui** a douze ans.*

Le copain a une voiture. – La voiture est devant l'hôtel. – La vieille dame est à côté de la voiture. – Vous habitez en ville ? – Elle a cours le matin. – Il a des copains. – Ils ont des copines. – J'ai une petite amie. – Tu as un petit ami ?

C'est ... que ...

Pam a cours à deux heures.	→ **C'est** à deux heures **que** Pam a cours.
J'ai deux voitures.	→ **C'est** deux voitures **que** j'ai.

Remarque :

« Deux voitures, à deux heures » sont **compléments** → **c'est ... que.**

12 *Mettez c'est ... que.*

Exemple : Nous avons cours à l'Alliance. → *C'est à l'Alliance **que** nous avons cours.*

Le train part à minuit. – Paul voudrait une Super 5. – Pam et Karine habitent dans un appartement. – Nous avons cours à l'Alliance.

Qui est-ce qui ... ? Qu'est-ce que ... ? Rappel

Fred a cours à huit heures. **La voiture** marche mal.	Fred : **personne, sujet**. La voiture : **chose, sujet**.	**Qui** est-ce **qui** a cours ? **Qu'est-ce qui** marche mal ?
Je vois **Pam**. Je désire **un thé**.	Pam : **personne, complément**. un thé : **chose, complément**.	**Qui** est-ce **que** tu vois ? **Qu'est-ce que** tu désires ?

Remarque : Attention ! Fred et Pam ont cours. → Qui est-ce qui **a** cours ?

13 *Posez les questions.*

Exemple : Fred habite en banlieue. → *Qui est-ce qui habite en banlieue ?*

La voiture marche très bien. – Jean regarde le film à la télévision. – Tu vois Irène à côté de Jean ? – Hélène et Véronique sont devant les parents.

POUR BIEN PRONONCER

L'enchaînement consonne + voyelle

pour une étudiante → prononcer : pou–ru–né–tu–diante.

14 *Écoutez ; répétez.*

a. Il aime Anna. – Il écoute la radio. – Il étudie l'espagnol. – Elle appelle une amie. – Elle arrive à l'heure. – Elle habite à Nice.

b. Il écoute la radio avec elle. – Il joue aux cartes avec eux. – C'est pour elle. – Koffi Tetégan visite Orléans avec une petite amie française.

c. Quelle heure est-il ? – Quel est votre nom ? – Est-ce qu'elle aime Henri ? – Dans quelle avenue habite Anna ?

Écoutez une deuxième fois et écrivez.

Autour de nous

15 ***La famille et les amis.***

Les grands-parents	**Les parents**	**Les enfants**
la grand-mère – le grand-père	la mère – le père	le fils – la fille

l'oncle – la tante – le cousin – la cousine – l'ami(e) – le copain – la copine...

Présentez des photos de vacances à des amis.

Exemple : Voilà mon père, il est assis à côté de ma mère...

16 ***Lecture.***
Vive la mariée !

Tiens ! Regarde ! La photo de mariage de mes grands-parents ! Au premier rang, à droite de Grand-père et à gauche de Grand-mère, tu vois mes arrière-grands-parents. Derrière mon grand-père, c'est sa sœur Gisèle et son mari. Ils ont une fille : elle est au premier rang, à côté de mon arrière-grand-père. Le garçon, tout à gauche, c'est son cousin : le fils de Raymond et de Jeannette, l'autre sœur de Grand-père. Au premier rang, la jeune fille, tout à droite, c'est Arlette, la petite sœur de Grand-mère et au deuxième rang, à droite, derrière mon arrière-grand-mère, c'est Pierrette, sa deuxième sœur, avec son fiancé, un militaire. Tout en haut, à droite, c'est peut-être le copain du fiancé et sa petite amie... ?

17 ***Présentez vos deux voisins l'un à l'autre.***

C'est...,	une amie.
	un ami.

C'est monsieur..., un voisin.

Je te présente... .

Je te présente	monsieur... .
	madame... .
	mademoiselle... .

Madame,	permettez-moi de vous présenter	monsieur...
Monsieur,		madame...

Salut ! – Bonjour ! – Très heureux / Très heureuse. – Enchanté / Enchantée.
Attention à la réponse !

18 *Quelle phrase du dialogue pour quelle photographie ?*

– Le bus passe à côté de la maison.
– Nous avons une chambre dans l'appartement d'une vieille dame.

– J'ai un studio en banlieue.
– Vous habitez en ville ?

▲
Un immeuble
ancien à Paris.

◀ Des tours modernes
à Nanterre
(banlieue de Paris).

◀ Un quartier moderne
au centre de Paris.

▲ Une cité de pavillons en banlieue.

19 *Lecture.*

Mantes la Jolie
L'autoroute a tranché
À ma droite les pavillons
À ma gauche les grands ensembles
À l'horizon
TOTAL a planté sa bannière.

YOLAND SIMON, *Territoires du temps*, « Encrage ».

8

Des nouvelles de...

Paris, le 3 mars

Chère Louise,

Ma première lettre en français ! A une Française et à un professeur. Quel courage !...

Je suis à Paris depuis un mois. Avec une copine de classe, nous habitons un petit studio dans un quartier agréable et tranquille.

L'école est un peu loin de chez nous, et bien sûr, nous n'avons pas de voiture. Mais il y a un bus très commode. Le studio est confortable : nous avons la télévision et le téléphone (voici le numéro : 46 00 81 92).

Je suis en deuxième année de français. Il y a vingt-cinq étudiants dans ma classe, des étrangers de nationalités différentes. J'aime bien le professeur : un homme jeune, très amusant. Un Français vraiment typique !

Mais je n'aime pas Paris... Eh non ! Moi, je préfère la campagne. Hélas, il n'y a pas d'Alliance française à la campagne. Toi, tu as de la chance, tu habites Toulouse...

Aussi, ma chère Louise, j'espère avoir bientôt le plaisir de te rencontrer et de parler avec toi de Paris ou de Toulouse, en français ou en espagnol...

Amicalement
Maria

De 70 à 99...

60 + 10		4 × 20		(4 × 20) + 10	
70	**soixante-dix**	**80**	**quatre-vingts**	**90**	**quatre-vingt-dix**
71	soixante et onze	81	quatre-vingt-un	91	quatre-vingt-onze
72	soixante-douze	82	quatre-vingt-deux	92	quatre-vingt-douze
73	soixante-treize	83	quatre-vingt-trois	93	quatre-vingt-treize
	...		...		...
79	soixante-dix-neuf	89	quatre-vingt-neuf	99	quatre-vingt-dix-neuf

1 *Savez-vous téléphoner ?*

MANGOLD Gérard
10, av. Gén.-Leclerc . . . . (1) 43 05 10 51

MANGONOT Cécile
54, rue Pradier . . . . (1) 42 40 38 87

MANGOT Jean
36, av. Denfert-Rochereau . . . . (1) 43 76 57 45

MANGOUT Patrice
47, av. Gén.-de-Gaulle . . . . (1) 48 52 70 05

MANHES Pauline
70, av. République . . . . (1) 48 46 11 97

MANIBAL Éléonore
3, rue Georges-Médéric . . . . (1) 43 84 25 06

Exemple : Allô ! le quarante-trois, zéro cinq, dix, cinquante et un ?

2 *Regardez.*

Le 3 février, Maria arrive à Paris.

Le 3 mars, Maria écrit à Louise.

→ **Maria est à Paris depuis un mois.**

Faites des phrases.

Exemple : étudier le français (je, 3 mois) → J'étudie le français depuis 3 mois.

être en France (nous, un an) – habiter Toulouse (ils, 6 mois) – travailler dans une banque (Marie, 15 jours) – étudier le droit (Jack, 3 ans) – avoir une voiture (je, 2 ans) – regarder la télévision (vous, 2 heures).

3 *Quel courage ! À vous.*

travail → Quel travail ! – temps → ... ! – hiver → ... ! – printemps → ... ! – été → ... ! – automne → ... !

Remarque : jour → Quelle journée !   an → Quelle année !

4 *Cochez la bonne réponse.*

a. Maria est à Paris depuis
un an. ☐
six mois. ☐
trente jours. ☐

b. Louise est
professeur. ☐
étudiante. ☐
dactylo. ☐

c. Le studio de Maria est
grand. ☐
confortable. ☐
à côté de l'école. ☐

d. Maria est
italienne. ☐
espagnole. ☐
française. ☐

e. Le professeur est
jeune. ☐
amusant. ☐
typique. ☐

POUR PRATIQUER LA GRAMMAIRE

L'article indéfini : rappel

	singulier	pluriel
masculin	**un** livre	**des** livres
féminin	**une** montre	**des** montres

5 *Mettez l'article.*

Je suis à Paris depuis ... an. – J'ai ... copain et ... copines. – J'habite dans ... petit hôtel. – ... bus très commode passe à huit heures. – J'ai ... voisine agréable.

L'article indéfini et la négation

J'ai un livre.	→	Je **n'**ai **pas de** livre.
J'ai une montre.	→	Je **n'**ai **pas de** montre.
J'ai des livres.	→	Je **n'**ai **pas de** livres.

Remarque :

Négation → toujours **ne (n')** ... **pas de.**

6 *Complétez avec le verbe <u>avoir</u> et l'article indéfini.*

*Exemple : Il ... une moto, mais il n'... pas ... voiture. → Il **a** une moto, mais il n'**a** pas **de** voiture.*

Elle ... ... machine à écrire. – Nous ... ... photos. – Ils ... ... voiture. – Est-ce que vous ... ... appartement ? – Non, nous n'... pas ... appartement, mais nous ... ... studio en banlieue.

7 *Posez la question et répondez par oui ou par non. Faites l'exercice à trois.*

Exemple : vous, une télévision → Est-ce que vous avez une télévision ? Oui, bien sûr, nous avons une télévision. ou Ah non ! nous n'avons pas de télévision.

ils, une radio – vous, une montre – Karine et Pam, des copains – Karine, des amis – toi, une photo – M. et Mme Rivot, une voiture – René, une sœur – vous, un professeur – Silvio, Marina et moi, un cours de français.

8 *Faites des phrases.*

Exemple : moi, amis, petite amie → Moi j'ai des amis, mais je n'ai pas de petite amie.

Paul, frère, sœur – Pam, copains, petit ami – Karine, chaise, table – Mme Lamy, fille, fils – M. et Mme Sichot, garçon, fille – Sylvie, cahier, stylo.

Le pluriel des noms

	le livre	les livres
	un livre	des livres
	le livre	les livres
	un livre	des livres

Remarque :

En général, nom pluriel = nom singulier + **s** ; *mais un autobus* → *des autobus.*

9 *Singulier ou pluriel ?*

rue – télévision – étrangers – voitures – quartier – studio – étudiants – femme – frère – sœurs – Paris.

10 *Mettez les articles.*

Exemple : ... Français → *le* ou *les* Français.

    ... Anglais – ... autobus – ... cours de français – ... fils de M. Rivot.

Quel courage ! L'exclamation

Rappel : • **l'interrogation :** { Quelle heure est-il ? ↗
                                  Quel est votre nom ?   • **L'exclamation :** Quel courage ! ↘

	singulier	pluriel		
masculin	Quel courage	Quels enfants	**?**	**!**
féminin	Quelle voiture	Quelles voitures		

11 *Complétez avec l'exclamation.*

Exemple : ... homme amusant ! → **Quel** homme amusant !

    ... Français typique ! – ... enfants agréables ! – ... rues tranquilles ! – ... chance tu as ! – ... bus commode ! – .. cours de français !

Rappel : verbe + verbe à l'infinitif

J'aime jouer aux cartes.	Je n'aime pas jouer aux cartes.

12 *Complétez avec* j'aime, *ou* je veux, *ou* je voudrais.

Exemple : ... habiter Toulouse → **Je voudrais** habiter à Toulouse.

    aller au cinéma avec Sylvie – parler avec toi – avoir la télévision – ne ... pas habiter en banlieue – ne ... pas prendre le bus.

La liaison

- • avec **-t** → un petit‿ami   prononcer : un petit [t] ami ;
- • avec **-s** → ils‿aiment, nous‿habitons   prononcer : ils [z] aiment, nous [z] habitons ;
- • avec **-n** → un‿ami, un‿homme   prononcer : un [n] ami, un [n] homme.

13 *Écoutez ; répétez.*

    Il est à la campagne. – C'est un Togolais. – Elle a un petit ami. – C'est un petit enfant. – Elles aiment les enfants. – Elles ont des petits amis. – Ils habitent dans des appartements agréables. – Ils étudient le français dans des écoles de langues étrangères. – Je suis à Paris depuis un an. – On habite dans un appartement tranquille. – C'est un étudiant étranger ; il a un enfant. – On écoute la radio.

Remarques : 1. Et avec : pas de liaison avec **et.**
             2. Un étudiant étranger : pas de liaison avec un nom au singulier.

14 *Écoutez ; répétez.*

    Il habite dans un appartement avec un ami espagnol et un étudiant étranger. – Elle regarde la télévision avec un ami étranger ; c'est un Anglais agréable et il a un enfant amusant.

Écoutez une deuxième fois et écrivez.

Des gens, une ville... les jours

15 *Décrivez les personnes en utilisant les adjectifs.*

grand(e) ou petit(e)
jeune ou âgé(e) /
vieux (vieille)
gros(se) ou mince
brun(e), ou blond(e)
  ou roux (rousse)
beau (belle)
élégant(e)

intelligent(e)
intéressant(e)
amusant(e)
agréable
gentil(le)
sympathique, typique
gai(e), content(e)
timide

américain(e)
anglais(e)
espagnol(e)
français(e)
italien(ne)
suisse
togolais(e)
péruvien(ne)
polonais(e)

16 *Décrivez les étudiants de la classe de Maria.*

17 *Par écrit, faites le portrait :*

    a. d'un ami ou d'une amie ;   b. d'un personnage célèbre.

Il est ...   Elle est ...   Elle aime ...   Il n'aime pas ...
Il a ...   Elle a ...   Il n'a pas ...   Elle n'a pas ...

18 *Lecture.*

Il s'appelait Bernard Olivier. Vingt-cinq ans, brun, de grands yeux couleur de café brûlé, les épaules larges, la démarche assurée, des poils sur le dos de la main. Malheureusement sans moustache : rasé comme une statue ; heureusement sa voix était grave et musicale, et ses dents éblouissantes.

MARCEL PAGNOL, *Manon des Sources,*
Éditions Pastorelly.

19 *Quel jour sommes-nous ?*
Et en quelle saison ?

Printemps

Été

Automne

Hiver

20 *Lisez.*

Toulouse

Qu'il est loin mon pays qu'il est loin
Parfois au fond de moi se raniment
L'eau verte du canal du Midi
Et la brique rouge des Minimes
Ô mon pays, Ô Toulouse, Ô Toulouse.

Un torrent de cailloux roule dans ton accent
L'église Saint-Sernin illumine le soir
Voici le Capitole j'y arrête mes pas...
Ta violence bouillonne jusque dans tes violettes [...]

Paroles de CLAUDE NOUGARO,
Musique de Claude Nougaro et Christian Chevallier,
© 1967 by AMI,
EMI Music Publishing.

21 *Lisez.*

22 *Écrivez votre carte.*

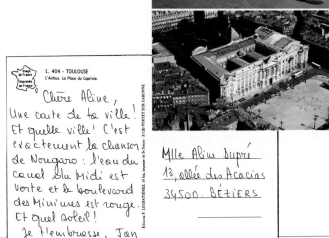

L. 404 - TOULOUSE
L'Airbus. La Place du Capitole.

Chère Aline,
Une carte de ta ville !
Et quelle ville ! C'est
exactement la chanson
de Nougaro : l'eau du
canal du Midi est
verte et le boulevard
des Minimes est rouge.
Et quel soleil !
Je t'embrasse, Jan
PS : Où sont les violettes ?

Mlle Aline Dupré
13, allée des Acacias
34500. BÉZIERS

TOULOUSE
capitale de
l'AÉROSPATIALE

LEÇON 7

- ■ *Interroger sur le temps.*
- ■ *Présenter des personnes.*
- ▶ *Le verbe avoir au présent.*
- ▶ *Le genre : masculin, féminin.*
- ▶ *C'est... qui...*
- ▶ *C'est... que...*
- ▶ *Qui est-ce qui... ?*
  Qu'est-ce que... ? Rappel.
- ▶ *L'enchaînement consonne + voyelle.*
- ● *Autour de nous.*

---

expressions et mots nouveaux

À côté de, *prép.*
Âge, *n. m.*
An, *n. m.*
Appartement, *n. m.*
Autour de, *prép.*
Avoir, *v.* (au présent)
Banlieue, *n. f.*
Bus, *n. m.*
C'est... qui, C'est...
  que, *présentatif*
Chambre, *n. f.*
Chose, *n. f.*
Consulter, *v.*
Copain, *n. m.*
Copine, *n. f.*
Cousin(e), *n.*
Dame, *n. f.*
Devant, *prép.*

Docteur, *n. m.*
Enfant, *n. m.*
Famille, *n. f.*
Femme, *n. f.*
Fille, *n. f.*
Fils, *n. m.*
Frère, *n. m.*
Gens, *n. m.* ou *f. plur.*
Grand-mère, *n. f.*
Grands-parents,
  n. m. plur.
Grand-père, *n. m.*
Hélas, *interj.*
Heureux(se), *adj.*
Hôtel, *n. m.*
Livre, *n. m.*
Mari, *n. m.*

Mère, *n. f.*
Oncle, *n. m.*
Où ?, *adv. interrog.*
Ouvert(e), *adj.*
Parents, *n. m. plur.*
Passer, *v.*
Père, *n. m.*
Photo, *n. f.*
Sa, *adj. poss.*
Sœur, *n. f.*
Studio, *n. m.*
Sur, *prép.*
Tante, *n. f.*
Vieux (vieille), *adj.*
Ville, *n. f.*
Voir, *v.*
Voiture, *n. f.*

---

1   *Écrivez dix phrases avec les éléments donnés.*
   Employez les verbes chercher *et* trouver.

Qui ? (une personne)	Quoi ? (une chose)	Où ?
je, tu, il/elle/on nous, vous, ils/elles un ami le professeur Monsieur Sichot un camarade Anna	un studio une voiture une photo la réponse une chambre le mot le téléphone	dans le dictionnaire en banlieue dans Paris sur la table dans le livre sur la photo dans l'appartement

Exemple : Anna **trouve** *la réponse dans le dictionnaire.*

2   *Révision. Pour interroger...*

Exemple : Elle est sur la photo, et vous, vous êtes sur la photo ?

- a. J'ai une voiture, et vous, ... ?
- b. Fred habite en banlieue, et elles, ... ?
- c. Anna est dactylo, et vous, ... ?
- d. Il a des copains, et eux, ... ?
- e. J'ai un studio, et toi, ... ?
- f. Silvio travaille à Venise, et Marina, ... ?

3   *Qui est-ce ou Qu'est-ce que c'est ? Complétez.*

Exemple : C'est ma mère.→ Qui est-ce ?

C'est mon père. – C'est mon studio. – C'est la maison de M. Sichot. – C'est la fille des voisins. – C'est ma montre. – C'est le directeur. – C'est lui ! – C'est la photo de Pam.

4   *La famille. Complétez.*

les grands-parents : le grand-père, la ... .

les parents : le ..., la mère ; le mari, la ... .

les enfants : le fils, la ... ; le ..., la sœur ; le jeune homme, la ... ; le garçon, la ... .

les petits-enfants : le ..., la petite-fille.

Pour l'exercice 2, revoyez les tableaux de la page 30 (Je demande... oui ou non).
Pour l'exercice 3, revoyez les tableaux de la page 16 (Je demande... Qui est-ce ?) et de la page 38 (Je demande... Que ?... Qu'est-ce que ?).

LEÇON 8

expressions et mots nouveaux

Âgé(e), *adj.*
Agréable, *adj.*
Amicalement, *adv.*
Amusant(e), *adj.*
Beau (belle), *adj.*
Bientôt, *adv.*
Blond(e), *adj.*
Brun(e), *adj.*
Cahier, *n. m.*
Campagne, *n. f.*
Chaise, *n. f.*
Chance, *n. f.*
Cher (chère), *adj.*
Chez, *adv.*
Commode, *adj.*
Confortable, *adj.*
Content(e), *adj.*
Courage, *n. m.*
Depuis, *adv.*

Différent(e), *adj.*
École, *n. f.*
Écrire, *v.*
Élégant(e), *adj.*
Espagnol(e), *adj.*
Espérer, *v.*
Étranger, *n. m.*
Gai(e), *adj.*
Gentil(le), *adj.*
Grand(e), *adj.*
Gros(se), *adj.*
Homme, *n. m.*
Intelligent(e), *adj.*
Intéressant(e), *adj.*
Jeune, *adj.*
Mince, *adj.*
Mois, *n. m.*
Moto, *n. f.*

Nationalité, *n. f.*
Nombres (70 à 99)
Nouvelle, *n. f.*
Numéro, *n. m.*
Plaisir, *n. m.*
Prendre, *v.*
Quel !, *adj. exclam.*
Roux (rousse), *adj.*
Saison, *n. f.*
Stylo, *n. m.*
Sympathique, *adj.*
Table, *n. f.*
Téléphone, *n. m.*
Temps, *n. m.*
Timide, *adj.*
Tranquille, *adj.*
Typique, *adj.*
Vraiment, *adv.*

■ *Caractériser des personnes, des lieux.*
■ *Donner son opinion.*
■ *Compter jusqu'à 99.*
▶ *L'article indéfini : rappel.*
▶ *L'article indéfini et la négation.*
▶ *Le pluriel des noms.*
▶ *L'exclamation : quel… !*
▶ *Rappel : verbe + verbe à l'infinitif.*
▶ *La liaison.*
● *Des gens, une ville… Les jours.*

1 ***Relisez le texte de la page 56 et complétez.***

« Maria, comment est le quartier ?
– Il est … et …
– Et le studio ?
– Il est … et …
– Tu es loin de … ?
– Oui, mais dans la …, il y a un … très …
– Tu aimes bien le professeur ?
– Oh, oui ! Il est …
– Et Paris ? Est-ce que tu aimes Paris ?
– Oh, non ! Je … la … ! »

2 ***Révision. Remplacez les mots soulignés et écrivez les phrases.***

a. Le cours de français commence le 3 septembre. (3/1 – 15/4 – 1/7 – 1/8 – 15/9)

b. Lundi est le premier jour de la semaine. (mercredi – samedi – jeudi – vendredi – dimanche)

c. Avril est avant mai ; juin est après mai. (septembre … octobre – juillet … août – mars … février – avril … mai)

d. Maria n'a pas de voiture ! (elle – nous – les deux amis – ma femme et moi – le professeur)

3 ***Imaginez. Complétez avec des mots des leçons 1 à 8.***

J'ai un …   J'ai une … et une …
Je voudrais avoir un … Je n'ai pas de …

MERCREDI   DIMANCHE   SAMEDI

4 ***Retrouvez le nom de trois jours de la semaine :***

C E E D I M R R   A C D E H I M N   A D E I M S

et de six mois de l'année.

(Les lettres sont dans l'ordre alphabétique.)

A I M MA	A E I J N V R	E I J L L T U
B C E O O R T	A I L R V	I J N U
OCTOBRE	JANVIER	JUIN
	AVRIL	JUILLET

Les jours de la semaine :
lundi
mardi
mercredi
jeudi
vendredi
samedi
dimanche

Les mois de l'année, les saisons : voir page 61.

Apprenez le nom des jours et des mois.
Apprenez les nombres de 70 à 99.
Avec les adjectifs de la page 60, faites votre portrait : Je suis… je ne suis pas…

9

Au téléphone

— Allô ! C'est toi, Maria ?

— ....

— Pardon ? Ce n'est pas le bon numéro ? Ce n'est pas le quarante-six, zéro zéro, quatre-vingt-un, quatre-vingt-douze ?

— ....

— ... Oh, excusez-moi, monsieur. Il y a erreur. ....

— Allô ! Maria ? Ah ! enfin... c'est toi. Comment vas-tu ? Ici Louise.

— ....

— Une grande nouvelle ! je pars pour Paris. Dans une demi-heure.
Je suis à la gare et...

— ....

— Demain matin, à neuf heures juste. Dis donc... excuse-moi... mais quelle est ta nouvelle adresse ? Je n'ai pas mon agenda et...

— ....

— Oui, j'ai un stylo, je note...

— ....

— Bien. Je répète : 12, boulevard Bonne-Nouvelle. Métro Bonne-Nouvelle.
Oui, c'est facile !

— ....

— Cinquième étage, et il n'y a pas d'ascenseur !

— ....

— Oh ! avant dix heures... Par le métro ou en taxi, c'est rapide !

— ....

— Oui, en vacances... Pour trois jours seulement... Ce n'est pas beaucoup, mais je suis contente de te revoir...

— ....

— Non, non, je n'oublie pas le cassoulet ! Allons, Maria... A demain, l'heure tourne !

1 *Trouvez les trois réponses.*

       – Allô ! C'est toi, Maria ?

       – ....

       – Pardon ? Ce n'est pas le bon numéro ? 46 00 81 92 ?

       – ....

       – Excusez-moi, monsieur ! Il y a erreur.

       – ....

2 *Au téléphone. Établissez la communication.*

Allô ! C'est Patrick ? •

      • Non, ce n'est pas le bon numéro.
      • C'est moi-même (c'est lui, c'est elle-même).
      • Oui, qu'est-ce que c'est ?

Allô ! 47 52 66 82 ? •

      • Ah ! c'est toi... enfin !
      • Salut ! Fred.

Allô ! Monsieur Lucas ? •

      • Non, monsieur (madame), il y a erreur.

3 *Voici les réponses de Maria à Louise (en désordre). Refaites la conversation.*

    a. Tu as un stylo ?
    b. À quelle heure es-tu ici ?
    c. Louise ? Ça va ... et toi ? Qu'est-ce qui arrive ?
    d. J'habite au cinquième étage... Il n'y a pas d'ascenseur...
    e. Chic alors ! Et tu arrives à quelle heure ?
    f. 12, boulevard Bonne-Nouvelle. Métro Bonne-Nouvelle. C'est facile...
    g. Moi aussi... Dis Louise, tu n'oublies pas le cassoulet !
    h. Tu es en congé ?

Jouez la scène.

4 *Utilisez ces mots dans une conversation. (Voir le dialogue de la page 64.)*

5 *Lecture ou dictée.*

Enfin, Louise parle à Maria ! Le train de Louise part dans une demi-heure et arrive à Paris à neuf heures juste. Maria habite boulevard Bonne-Nouvelle, au numéro douze. Le métro passe à côté de la maison, c'est facile ! Mais l'appartement de Maria est vieux, au cinquième étage, et il n'y a pas d'ascenseur.

Où ? Quand ? Comment ?

Où es-tu ? Où est-ce que tu es ?	Je suis à Paris. Je suis en France. Je suis au Pérou.

Remarque : Paris = ville → **à** ; France = pays, féminin → **en** ; Pérou = pays, masculin → **au**.

6 *Répondez aux questions.*

Exemple : Où êtes-vous ? (Espagne) → Je suis en Espagne.

Où est-il ? (Toulouse) – Où est-ce qu'elle habite ? (Belgique) – Où sont-ils ? (Nice) – Où est-ce que vous êtes ? (Allemagne) – Où sommes-nous ? (France) – Où est-ce qu'ils habitent ? (Maroc) – Où est-ce qu'il est ? (gare) – Où est-on ? (banlieue) – Où est-ce qu'elles ont cours ? (Alliance)

Quand le train arrive-t-il ? Quand est-ce que le train arrive ?	Le train arrive à treize heures.

Remarque : Quand arrives-tu ? / Quand le train arrive-t-il ?

7 *Répondez aux questions.*

Exemple : Quand l'avion arrive-t-il ? (18 h) → L'avion arrive à 18 heures.

Quand est-ce que tu étudies ? (soir) – Quand Jean a-t-il cours ? (après-midi) – Quand le bus arrive-t-il ? (17 h 30) – Quand jouez-vous aux cartes ? (nuit) – Quand est-ce que tu travailles ? (matin) – Quand pars-tu ? (demain)

Comment danses-tu ? Comment est-ce que tu danses ?	Je danse mal.

8 *Répondez aux questions.*

Exemple : Comment vas-tu ? (très bien) → Je vais très bien.

Comment est-ce que tu chantes ? (mal) – Comment joues-tu aux cartes ? (assez bien) – Comment est-ce que tu vas à la gare ? (métro) – Comment Fred va-t-il au cours ? (voiture)

9 *Posez les questions avec où, quand, comment.*

Exemple : Le train part à midi. → Quand le train part-il ? / Quand est-ce que le train part ?

J'ai cours à trois heures. – Ils habitent boulevard Bonne-Nouvelle. – Le film est amusant. – Il va à la tour Eiffel. – Le studio est agréable. – Le cassoulet de Toulouse est délicieux. – Le bus part à trois heures. – Maria va au restaurant en voiture. – Elles sont à l'Alliance l'après-midi. – Maria écoute la radio la nuit.

Les adjectifs : genre

masculin	féminin
un train **confortable** **un petit** frère **amusant** **un** étudiant **américain**	**une** voiture **confortable** **une petite** sœur **amusante** **une** étudiante **américaine**

10 ***Quels adjectifs avec quels noms ?***

Exemple : voiture (rapide, petit, amusante) → *une voiture rapide, amusante.*

cassoulet (délicieuse, bonne, français) – ville (nouvelle, moderne, étranger) – appartement (tranquille, grande, petite) – film (américain, amusante, nouveau) – chambre (confortable, commode, moderne) – montre (suisse, vieille, bon) – dame (français, vieille, petite) – carnet (petite, amusante, différent).

11 ***Répondez. Faites l'exercice à deux.***

Exemple : voiture, français → *Vous avez une voiture ? Oui, j'ai une voiture, c'est une voiture française.*

machine à écrire, américain – livre, amusant – montre, moderne – guitare, espagnol – vélo, français – table, petit – cassette, bon – radio, japonais.

Les adjectifs : nombre

singulier		pluriel	
un ami amusant →	**une** amie amusante	**des** amis amusant**s** →	**des** amies amusante**s**
un ami français →	**une** amie française	**des** amis français →	**des** amies françaises

Remarques : 1. Nouveau / nouveau**x**.
　　　　　　　 2. Des + adjectif au pluriel + nom au pluriel → **de**. *Exemple : de bons amis.*

12 ***Mettez au pluriel.***

une montre suisse – un bon film – une langue étrangère – une chambre agréable – la ville tranquille – l'ami togolais – un grand ami – une vieille dame.

Les adjectifs : place

après le nom : anglais, français, amusant, confortable, différent, étranger, etc.
avant le nom : petit, vieux, bon, grand.

Remarque : un grand homme ≠ un homme grand.

13 ***Quel est l'adjectif ?***

Exemple : un ... studio ; petit ou confortable ? → *un petit studio.*

un ... restaurant ; petit ou typique ? – un Français ... ; vieux ou sympathique ? – un avion ... ; grand ou confortable ? – un ... monsieur ; vieux ou suisse ? – un cassoulet ... ; bon ou délicieux ? – un ... film ; italien ou vieux ? – une guitare ... ; petite ou espagnole ? – une banlieue ... ; tranquille ou petite ?

POUR BIEN PRONONCER

Le son i [i]

14 ***Écoutez ; répétez.***

a. Sylvie – Marie – Paris – midi – minuit – l'après-midi – C'est Philippe, Philippe Lamy. – Sylvie et Marie visitent Paris avec des amis. – Il est six heures dix.

b. Sylvie habite à Paris. – C'est un film triste. – Le taxi, c'est rapide. – Oui, avec ton stylo, c'est facile ! – Sa petite amie est typique. – J'ai cours ici à six heures et ma copine aussi.

Écoutez une deuxième fois et écrivez.

Où sont-ils ?
Où vont-ils ?

15 *Dans l'ascenseur.*

— Vous allez à quel étage ?
— Au cinquième.
— Voilà !... moi au huitième...
... (hum... jolie !)
— ... (sympa...).
— Vous êtes arrivée... Vous avez cours, demain ?
— Oui, à la même heure...

Vous prenez l'ascenseur avec un jeune homme ou une jeune fille, qu'est-ce que vous dites ?

Saluez :
— ...
Faites connaissance :
— ...

16 *Écrivez les adresses sur les enveloppes.*

GratienMoco17rueLaRivière97200Fort-de-France
MlleG.Lalande63avenueMozart75016Paris
MonsieuretmadameLeroyer19ruedu14juillet84000Avignon

Mademoiselle Louise MAURY
25, rue des Châlets
31000 TOULOUSE

17 *Corrigez les enveloppes.*

Mr le Directeur
de l' Alliance française
Bd Raspail 101
Paris .

M. MAZET
84, boulevard Péreire
PARIS 17ème

Melle Manuela Marquez
chez M et Mme Terreira
Thiais 94320
rue des Grands Champs 4

18 *Chantal arrive à la gare d'Austerlitz, elle descend à « Opéra ». Aidez-la à trouver son itinéraire.*

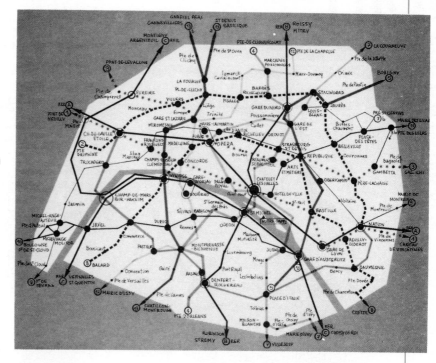

Pour vous aider :

une station
une direction
une correspondance
elle monte à
elle prend la direction
elle change à
elle descend à

19 *Où est le vrai ticket ?*

Elles cherchent quelle station ?
Vous êtes à la gare du Nord. Aidez-les...

20 *Lecture.*

Les métros vont, les métros viennent,
Roule ta bosse et va bon train.
Descendez-vous à la prochaine ?
C'est toujours le même refrain !

Paroles de LÉO FERRÉ et de FRANCIS CLAUDE.

10 Qu'est-ce qu'ils vont faire ?

JANE :	Qu'est-ce qu'on fait ce soir ? On va au cinéma ? Au C.G. on passe deux très bons films : « *37°2 le matin...* » et « *Sous le soleil de Satan* ».
LAMIA :	Oui, mais... le vendredi soir, au cinéma, il faut faire la queue...
BRUNO :	Alors, qu'est-ce qu'on fait ?
JANE :	Un tour à la Citadelle ?
BARBARA :	On va prendre un pot au Café du Théâtre ?
JUAN :	Ou manger au restaurant... hein ? Pourquoi pas ?
BARBARA :	Le vendredi soir, au restaurant, il y a aussi du monde !
JANE :	J'ai une autre idée. On va manger chez moi. J'ai...
JUAN :	Quoi ! Faire la cuisine ! Et pourquoi pas le marché ?
JANE :	Mais non, j'ai trois ou quatre boîtes de conserves et une bonne bouteille de vin... Ça va ?
JUAN :	Ça va...
JANE :	Et ensuite, nous allons écouter le concert donné à l'église Saint-Jean ?
LAMIA :	Quel est le programme ?
JANE :	Un récital d'orgue... des œuvres de Jean-Sébastien Bach.
BRUNO :	Oui, mais est-ce que nous allons avoir des places ? C'est le festival...
JANE :	Je vais téléphoner pour réserver.

1 *Où est-ce qu'ils vont ?*

à la poste ?
à l'université ?

● **Des noms féminins**

banque	université
poste	école
gare	église

Et comment ?

● **Des noms masculins**

au concert ?

festival	café
cinéma	restaurant
musée	magasin
théâtre	supermarché
	hôpital

EN BUS

À PIED

À VÉLO

Faites des phrases.

Exemple : Anna (banque) → Anna va à la banque.

Laure (supermarché)	Bruno et Juan (concert)
Les étudiants (université)	La vieille dame (poste)
Marina et Silvio (cinéma)	Le docteur (hôpital)
Paul (gare)	Jane (restaurant)

2 **Répondez** *c'est vrai, ... c'est faux, ...*

  a. Ils vont au cinéma voir « *37°2 le matin* ».
     C'est faux, ils ne vont pas au cinéma...
  b. Aujourd'hui, c'est samedi.
     ....
  c. Juan aime beaucoup faire la cuisine.
     ....
  d. Ils vont aller écouter un concert, dans une église.
     ....
  e. Bruno téléphone pour réserver les places.
     ....

3 **Du 28 août au 13 septembre, c'est le festival de musique.**

Juan, Lamia, Bruno et Jane vont écouter des concerts. Où ? Quand ?

À quelle heure ? Qu'est-ce qu'ils vont écouter ?

  ● Juan – Vendredi 28 août – 20 h 30 – Palais des sports – Concert de gala – Ravel, *Concerto en sol* ; Gershwin, *Un Américain à Paris*.
  ● Lamia – Dimanche 30 août – 17 h 30 – Théâtre municipal – Concert symphonique – Bartok, *Concerto pour alto* ; Mahler, *Symphonie n° 1*.
  ● Barbara – Mercredi 2 septembre – 20 h 30 – Église Saint-Jean – Récital d'orgue – œuvres de J.-S. Bach.
  ● Bruno – Jeudi 3 septembre – 20 h 30 – Théâtre municipal – Musique de chambre – Vivaldi, *Les quatre saisons*.
  ● Juan, Bruno et Jane – Vendredi 11 septembre – 17 h 30 – Salle des fêtes – Mozart, *Symphonie n° 29 en la majeur* ; Grieg, *Holberg (Suite)*.

4 **Lecture ou dictée.**

Que vont faire Jane, Lamia, Barbara, Bruno et Juan ? Vont-ils aller au cinéma ? Faire un tour à la Citadelle ? Prendre un pot au Café du Théâtre ? Manger au restaurant ?
Jane a une autre idée : ses amis vont manger chez elle et ensuite ils vont écouter un récital d'orgue à l'église Saint-Jean. Au programme : des œuvres de Jean-Sébastien Bach.

POUR PRATIQUER LA GRAMMAIRE

Le verbe aller au présent

S I N G U L I E R	1	Je	**vais** au cinéma.	Nous **allons** au cours.	1	P L U R I E L
	2	Tu	**vas** au théâtre ?	Vous **allez** à la banque ?	2	
	3	On Il Elle	**va** au restaurant.	Ils **vont** à la pharmacie. Elles	3	

5 *Ils vont à ... Faites des phrases.*

Exemple : Anna, banque, à pied → Anna va à la banque à pied.

Silvio, restaurant, bus – vous, Toulouse, avion – Koffi Tetégan, Université, vélo – Sylvie, gare, à pied – M. et Mme Sichot, Venise, voiture – elles, théâtre, métro.

6 *Où allez-vous ? Répondez.*

Exemple : moi, concert, cinéma → Moi, je vais au concert, je ne vais pas au cinéma.

Karine, école, supermarché – Silvio, restaurant, chez ses amis – Nicole et Jack, théâtre, musée – M. et Mme Rivot, banque, poste – Anna, cours de français, banque.

Le verbe faire au présent

S I N G U L I E R	1	Je	**fais** un tour.	Nous **faisons** un cassoulet.	1	P L U R I E L
	2	Tu	**fais** la cuisine ?	Vous **faites** la queue ?	2	
	3	On Il Elle	**fait** le bon numéro.	Ils **font** le ménage. Elles	3	

Remarque :
nous f**ai**sons → ai = [ə]

7 *Qu'est-ce que vous faites ? Un étudiant pose la question, un autre répond.*

Exemple : il, de l'anglais, du français → Il fait de l'anglais ? Ah non, il fait du français.

Vous, la cuisine, le marché – ils, des photos, un film – tu, du vélo, de la musique – il, le marché, la cuisine – elle, un tour, un match de tennis – on, un café, un thé.

Aller + verbe à l'infinitif = le futur proche

Futur proche :	aller au présent	+	verbe à l'infinitif
(Dans dix minutes,)	L'avion **va**		**partir**.

8 *Mettez le futur proche.*

Exemple : Nous écoutons la radio. → Nous allons écouter la radio.

L'avion part dans dix minutes. – Nous jouons aux cartes. – Elle fait un cassoulet pour midi. – Nous voyageons en été. – Vous faites la queue au cinéma ? – On passe un bon film samedi. – Ce soir, on va au théâtre.

9 Qu'est-ce qu'on va visiter la semaine prochaine ? Répondez.

Exemple : Karine et Pam, Paris, le musée du Louvre → Karine et Pam vont à Paris la semaine prochaine ; elles vont visiter le musée du Louvre.

Louise, Rome, le Colisée – moi, Moscou, le Kremlin – elle et moi, New York, le musée d'Art moderne – Philippe et Jacques, Orlando, Disneyland – vous, Athènes, le Parthénon – toi, Paris, la tour Eiffel.

Et vous, qu'est-ce que vous allez visiter ?

Les articles – Récapitulation

	indéfinis		définis				
	masc.	fém.	simples		contractés (avec à et de)		
S I N G.	**un**	**une**	**le (l')**	**la (l')**	**à + le → au** il parle au garçon **de + le → du** il parle du garçon		
	un stylo un ami	une rue une amie	le stylo l'ami	la rue l'amie			
P L U R.	**des**		**les**		**à + les → aux** je parle aux garçons	je parle aux filles	
	des stylos des amis	des rues des amies	les stylos les amis	les rues les amies	**de + les → des** je parle des garçons	je parle des filles	
	masc.	fém.	masc.	fém.	masculin	féminin	

10 Complétez avec des articles.

C'est ... boulevard Saint-Michel ? – Voilà ... grand parc. – Ce n'est pas ... parc ; c'est ... jardin du Luxembourg. – Voici ... rue de Rivoli et ... avenue des Champs-Élysées. – Je vais à ... Alliance, c'est ... heure du cours.

Nous sommes ... mois de mai. – Le professeur parle ... étudiants et ... étudiantes. – Il est neuf heures, c'est l'heure ... cours. – Voici la photo ... professeur. – Je joue ... cartes. – Elles travaillent ... musée. – Nous partons ... États-Unis.

Les sons [p] / [b]

11 Écoutez ; répétez.

a. Je me présente ; je m'appelle Paul. – Paul, c'est mon prénom. – Pardon, vous partez ? – Pam ne parle pas mal l'espagnol.

b. Bernard habite boulevard Bonne-Nouvelle. – Il habite à côté d'un bistrot et d'une banque. – Bientôt, il va habiter en banlieue. – Il y a beaucoup de bus.

c. Le professeur part de bonne heure ; il habite en banlieue. – Il s'appelle Paul. Il parle beaucoup des pronoms personnels. Il parle un peu des bistrots. Il va jouer du piano avec Pam dans un bistrot du boulevard Bonne-Nouvelle.

Écoutez une deuxième fois et écrivez.

Lire la ville

12 *Vous êtes au café,*
Place Victor Hugo.
Vous cherchez :

la rue Mégevand
la poste
l'autogare
la promenade Chamars
la place Granvelle

Pour vous aider :

Pardon	monsieur ...,		vous connaissez ... ?	
	madame ...,		pour aller	à ... ?
	mademoiselle ...,			au ... ?
				à la ... ?
				à l'... ?

je cherche	la ...
	le ...
	l'...

Ⓧ PL. V. HUGO

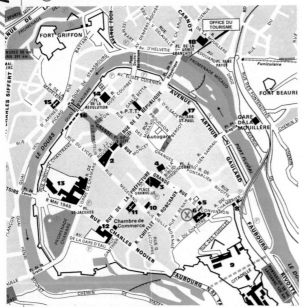

Le garçon vous aide...

Vous êtes	à pied ?		
	en voiture ?		

Prenez la	première	rue	à droite.
	deuxième		à gauche.
	troisième		

Tournez	à droite.
	à gauche.

Allez	tout droit.
	en face.
	à côté.

Merci (beaucoup)...
Je vous en prie...

13 Jane, Bruno, Lamia, Barbara et Juan
sont au café. Au milieu, c'est Bruno et
Lamia. À droite de Bruno, debout,
c'est Jane ; à gauche de Lamia, c'est
Jane. Lamia est assise entre Bruno et
Juan. Barbara est en face de Juan et
de Lamia.

Répondez en utilisant *à gauche,*
à droite, à côté, entre...

Où est Lamia ? et Jane ?
Où sont Bruno et Juan ?...
Où est Barbara ?...

Dans la classe, qui est à droite,
à gauche de vous ? Derrière vous ?...

14   Quelle ville est Besançon ?

15   _Ouvrons le dictionnaire !_

HUGO (Victor), écrivain français, né à Besançon (1802-1885). Fils d'un général de l'Empire, il fut d'abord un poète classique dans ses *Odes* (1822). Mais la publication des *Orientales* (1828), et de la préface de *Cromwell* (1827), puis la représentation d'*Hernani* (1830) firent de lui le chef du romantisme. Les années 1830-1840 consacrent sa gloire ; il publie un roman historique (*Notre-Dame de Paris,* 1831), quatre recueils lyriques (les *Feuilles d'automne,* 1831 ; *les Chants du crépuscule,* 1835 ; *les Voix intérieures,* 1837 ; *les Rayons et les Ombres,* 1840), plusieurs drames (*Lucrèce Borgia,* 1833 ; *Ruy Blas,* 1838). Après la mort de sa fille Léopoldine (1843), il se consacre à la politique ; député en 1848, il quitte Paris, après le coup d'État du 2 décembre 1851, pour les îles anglo-normandes. C'est alors qu'il donne le recueil satirique des *Châtiments* (1853), le recueil lyrique des *Contemplations* (1856), l'épopée de la *Légende des siècles* (1859-1883), ainsi que deux romans (*les Misérables,* 1862 ; *les Travailleurs de la mer,* 1866). Son exil dura jusqu'en 1870. À sa mort, ses restes furent transférés au Panthéon.

16   _Retrouvez ces rues et cette place sur le plan. Quel rapport ces personnes ont-elles avec Besançon ?_

Besançon fut espagnole de 1648 à 1678.

17   _Lecture._

 Ce siècle avait deux ans ! [...]

Alors dans Besançon, vieille ville espagnole
Jeté comme la graine au gré de l'air qui vole,
Naquit d'un sang breton et lorrain à la fois
Un enfant sans couleur, sans regard et sans voix [...]

VICTOR HUGO, *Les Feuilles d'automne 1,* 1830.

Pour travailler à la maison

■ **Demander et donner des informations pratiques.**
■ **Savoir téléphoner.**
■ **Communiquer.**

▶ **Où ? Quand ? Comment ?**
▶ **Les adjectifs : genre, nombre, place.**
▶ **Le son [i].**

● **Où sont-ils ? Où vont-ils ?**

expressions et mots nouveaux

Adresse, *n. f.*
Allons !, *interj.*
Appareil, *n. m.*
Apporter, *v.*
Après, *prép.*
Ascenseur, *n. m.*
Avant, *prép.*
Bon (bonne), *adj.*
Cassoulet, *n. m.*
Chercher, *v.*
Chic ! *interj.*
Congé, *n. m.*
Connaissance (faire), *n. f.*
Délicieux(euse), *adj.*

Demain, *adv.*
Désolé(e), *v. p.p.*
Dis donc !, *interj.*
Enfin, *adv.*
Enveloppe, *n.f.*
Erreur, *n. f.*
Étage, *n. m.*
Gare, *n. f.*
Guitare, *n. f.*
Métro, *n. m.*
Moderne, *adj.*
Moi-même (elle-même), *pron. pers.*
Mon, *adj. poss.*
Noter, *v.*

Oublier, *v.*
Par, *prép.*
Quand ? *adv. interrog.*
Rapide, *adj.*
Répéter, *v.*
Revoir, *v.*
Te, *adj. poss.*
Taxi, *n. m.*
Tourner, *v.*
Triste, *adj.*
Vacances, *n. f. plur.*

---

1 *Complétez.*

Je suis ... congé ... trois jours. Je suis ... la gare ... Toulouse et je pars ... Paris ... une demi-heure. J'arrive ... Paris ... dix heures ... matin. En taxi ou ... le métro, c'est rapide !

2 *Écrivez correctement la phrase cachée.*

a. pasd'iln'yaascenseur →
b. rapideletaxiest →
c. estl'adressefacile →

3 *Faites dix phrases.*

Le La L' Les	autobus taxis métro studio hôtel	est sont	à côté loin	de de la du d' de l'	restaurant gare banque musée ici chez moi

4 *Complétez et écrivez les nombres en lettres.*

a. Mélina téléphone ... Grèce, ... Athènes. C'est le (30) ... et le (1) ... .
b. Iumi téléphone ... Japon, ... Osaka. C'est le (81) ... et le (6) ... .
c. Milton téléphone ... Brésil, ... Sao Paulo. C'est le (55) ... et le (11) ... .
d. Ingrid téléphone ... Suède, ... Göteborg. C'est le (46) ... et le (31) ... .
e. William téléphone ... Chili, ... Santiago. C'est le (56) ... et le (2) ... .

Pour l'exercice 2, relisez le dialogue de la page 64.
Pour l'exercice 4, relisez les pages 57 et 66.

5 *Lecture. Attention aux mots nouveaux !*

Le train de Louise est en retard. Il n'arrive pas à Paris à neuf heures juste mais à neuf heures trente.
Louise prend un taxi.
— Boulevard Bonne-Nouvelle ; numéro douze ...
— Bien, mademoiselle... Mais aujourd'hui, ça ne « roule » pas vite...
— Ah ! pourquoi ?
— Le métro est en grève.

LEÇON 10

expressions et mots nouveaux

À droite, *loc.*
À gauche, *loc.*
Autre, *adj. indéf.*
Bistrot, *n. m.*
Bouteille, *n. f.*
Ce, *pron. dém.*
Citadelle, *n. f.*
Concerto, *n. m.*
Conserves (boîtes de),
   n. f. plur.
Cuisine, *n. f.*
Donner, *v.*
Église, *n. f.*
Entre, *prép.*
Ensuite, *adv.*
Falloir (il faut), *v.*

Festival, *n. m.*
Hein !, *interj.*
Hôpital, *n. m.*
Idée, *n. f.*
Manger, *v.*
Magasin, *n. m.*
Marché, *n. m.*
Ménage, *n. m.*
Monde (du...), *n. m.*
Municipal(e), *adj.*
Œuvre, *n. f.*
Orgue, *n. m.*
Palais, *n. m.*
Pharmacie, *n. f.*
Pied (à), *loc. adv.*
Place, *n. f.*

Poste, *n. f.*
Pot (prendre un...), *loc.*
Prochain(e), *adj.*
Programme, *n. m.*
Queue (faire la), *loc.*
Récital, *n. m.*
Réserver, *v.*
Ses, *adj. poss. plur.*
Supermarché, *n. m.*
Symphonie, *n. f.*
Tour (faire un...), *loc.*
Tout droit, *loc. adv.*
Vélo (à), *loc. adv.*
Vin, *n. m.*

---

1   *Où est-ce qu'ils vont ? Et comment ?*

Exemple : Anna (la banque – à pied) → *Anna va à la banque à pied.*

a. Sylvie (la poste – à pied) →
b. Vous (Toulouse – avion) →
c. Silvio et Marina (Venise – train) →
d. Il (le musée – autobus) →
e. Koffi Tetégan (l'université – vélo) →
f. Tu (la gare – voiture) →
g. Elles (le théâtre – métro) →
h. Louise (chez Maria – taxi) →

2   *Trouvez et placez les mots dans la grille.*

Le ... (1), il faut faire la ... (2) au cinéma et au ... (3) ! Les cinq amis vont manger chez Jane. Ils ne vont pas faire la ... (4).
Jane a trois ou quatre boîtes de ... (5) et une bonne bouteille de ... (6).
Après le dîner, les cinq amis iront écouter un récital d'... (7) à l'église Saint-Jean.

3   *Répondez par écrit (sur le texte de la page 70).*

a. Est-ce que les cinq amis vont au cinéma ?
b. Est-ce qu'ils vont au restaurant ?
c. Est-ce qu'il y a beaucoup de restaurants dans le quartier de Jane ?

Et vous ? Est-ce que vous aimez aller au concert ?

4   *Mariez les mots et faites des phrases.*

a.		b.	
faire	au théâtre	avoir	en avion
prendre	un film	marcher	l'adresse
aller	le ménage	arriver	des places
manger	un taxi	voyager	en avance
passer	à la maison	répéter	le nom
	au restaurant		à pied

Exemple : Le samedi soir, Maria mange au restaurant.

Pour l'exercice 1, regardez les dessins de la page 71.
Pour l'exercice 2, relisez le dialogue de la page 70.
Relevez les mots nouveaux avec les articles, pages 48/49, 62/63 et 76/77.

■ *Proposer.*
■ *Situer des personnes et des lieux.*
■ *Localiser sur un plan.*
▶ *Les verbes aller et faire au présent.*
▶ *Le futur proche (aller + verbe à l'infinitif).*
▶ *Les articles. Récapitulation.*
▶ *Les sons [p] / [b].*
● *Lire la ville.*

APPRENEZ *par cœur*

*le présent des verbes **aller** et **faire**.*

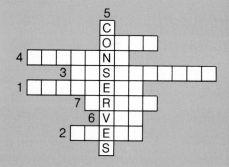

5 C
O
4 N
3 S
1 E
7 R
6 V
2 E
S

Des goûts et des couleurs

François et sa femme Annie.

FRANÇOIS : Où allons-nous ? Au « Bon Marché » ? Au « Printemps » ?
ANNIE : Ah non ! François. Le samedi après-midi, il y a un monde fou dans ces grands magasins !

FRANÇOIS : Alors, on va où ?
ANNIE : J'ai une idée. Nous allons passer par la rue de la Banque. Dans deux ou trois boutiques, on solde les articles d'hiver. Je cherche un chemisier pour aller avec cette jupe. Rose... ou bleu clair ?
FRANÇOIS : Mais dis donc, nous allons faire des achats pour toi ou pour moi ? J'ai besoin d'un imperméable, d'une paire de chaussures...
ANNIE : ... Et aussi d'un costume pour aller au bureau. Le gris et le bleu foncé sont un peu usés. Tu préfères peut-être acheter un blazer ? Avec un pantalon gris...
FRANÇOIS : Ah non ! Je porte des blazers depuis au moins dix ans !
ANNIE : Toi, alors, tu exagères... comme toujours. Pour le printemps, un blazer c'est pratique...
FRANÇOIS : Et les chaussures ? Noires... je pense, ou marron ?
ANNIE : Chez « Sacha », il y a de beaux modèles en vitrine.
FRANÇOIS : Chez « Sacha » ?
ANNIE : Mais oui. Chez « Sacha », le magasin à côté de la poste... Tu ne vois pas ?

1 *Vrai, faux ou je ne sais pas ?*

	V	F	?

    a. Nous allons faire les courses dans un grand magasin.

    b. François préfère acheter un blazer.

    c. Ils vont passer par la rue de la Banque.

    d. Annie va acheter un chemisier bleu clair.

    e. Ils vont faire des achats pour François.

    f. Chez « Sacha », il y a de belles chaussures en vitrine.

2 *Complétez.*

Dans la rue de la Banque, deux ou trois ... soldent les articles d'hiver. Annie regarde les ... . François, lui, cherche un ... . Son *gris* et son *bleu* sont un peu usés. Il préfère acheter un costume : il porte toujours des ... ! Il cherche aussi un ... et des ... . Un ... à côté de la poste a de beaux ... en ... .

3 *Faites des phrases.*

a.	Où allons-nous ? ●	● depuis dix ans.
b.	Trois boutiques soldent ●	● des chaussures noires.
c.	Je porte des blazers ●	● à côté de la poste.
d.	Nous allons faire des achats ●	● au « Bon Marché » ?
e.	Je préfère ●	● les articles d'hiver.
f.	Le magasin est ●	● dans les grands magasins.
g.	Le samedi, il y a un monde fou ●	● pour moi.

4 *Aller au, aller chez, aller avec.*

● Le nom du magasin est un nom commun (ce n'est pas un prénom, ce n'est pas un nom propre) :
Où allons-nous ? « Au Bon Marché » ? « Au Printemps » ?

● Le nom du magasin est un prénom ou un nom propre :
***On va chez** « Sacha », il y a de beaux modèles.*

● On parle d'un vêtement et d'un autre vêtement :
*Ce chemisier **va** bien **avec** cette jupe.*

● On parle d'une couleur et d'une autre couleur :
*Un pantalon gris **va** bien **avec** un blazer bleu foncé.*

CHAUSSURES **GEP!**

Le noir ça va avec tout.

5 *Lecture ou dictée.*

Aujourd'hui, c'est samedi. François et sa femme vont faire des achats. C'est la saison des soldes. Annie préfère les petites boutiques : il y a trop de monde dans les grands magasins ! Elle cherche un chemisier. François, lui, a besoin d'un costume, d'un imperméable et de chaussures. Noires, les chaussures, ou marron ?

POUR PRATIQUER LA GRAMMAIRE

Les adjectifs démonstratifs

singulier	masculin	**ce** pull-over, **cet** imperméable
	féminin	**cette** chemise
pluriel	masculin	**ces** pantalons
	féminin	**ces** chemises

Remarque :
ce → **cet**
devant une voyelle.

6 *Un étudiant pose la question ; un autre répond.*

Exemple : chemise bleue → *Quelle est la couleur de cette chemise ? Cette chemise est bleue.*

chemises vertes – pantalon noir – imperméable gris – robe rouge – costume bleu – cravate jaune – chaussures noires – pull-over orange.

7 *Qu'est-ce que vous pensez de... ? Un étudiant pose la question ; un autre répond.*

Exemple : veste élégante → *Qu'est-ce que vous pensez de cette veste ? Cette veste est élégante.*

magasin moderne – livres amusants – voiture confortable – joli chemisier – appartement agréable – bon vin – enfant sympathique – garçon courageux.

Je demande... C'est à...

À qui est ce pantalon ?	Ce pantalon est à Jean. Ce pantalon est à moi.

Remarques : 1. Ce pantalon est à Jean = c'est le pantalon de Jean.
2. C'est à + pronom tonique (moi, toi, lui, eux), voir page 44.

8 *À qui sont ces vêtements ?*

Exemple : chapeau, Francis → *Ce chapeau est à Francis.*

cravate, lui – chemises, eux – pull-over, vous – veston, François – robe, Hélène – jupe, elle – pantalon, Charles – imperméable, Annie – chaussures, elles.

Ce vélo-ci, ce vélo-là

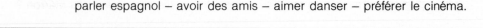

9 *À qui sont ces vêtements ?*

Exemple : deux jupes, toi, moi → *Cette jupe-ci est à toi, cette jupe-là est à moi.*

deux pantalons, Jean, Charles – deux chemises, vous, moi – deux blazers, François, André – deux paires de chaussures, toi, moi – quatre paires de chaussures, vous, nous.

Je demande... (rappel)

Habib aime le cinéma.	Aime-t-il le cinéma ? Habib aime-t-il le cinéma ?	Préfère-t-il la télévision ? Habib préfère-t-il la télévision ?

10 *Qui est ce garçon ? Posez la question. Recommencez avec : Qui est cette fille ?*

Exemple : étudier à l'Université → *Étudie-t-il à l'Université ?*

parler espagnol – avoir des amis – aimer danser – préférer le cinéma.

Les verbes acheter et préférer au présent

S	1	J'	**achète** un vélo.	Nous **achetons** ces chemises.	1	
I N G U L I E R	2	Tu	**achètes** ce pantalon ?	Vous **achetez** du vin ?	2	P L U R I E L
	3	On Il Elle	**achète** des chaussettes.	Ils Elles **achètent** du cassoulet.	3	

Remarque : On conjugue *amener* comme *acheter.*

S	1	Je	**préfère** le cinéma.	Nous **préférons** le métro.	1	
I N G U L I E R	2	Tu	**préfères** le théâtre ?	Vous **préférez** le bus ?	2	P L U R I E L
	3	On Il Elle	**préfère** la banlieue.	Ils Elles **préfèrent** cette cravate.	3	

Remarques : 1. *Répéter* et *posséder* se conjuguent comme *préférer.*
2. *è* se prononce [ɛ] ; voir page 123.

11 ***Conjuguez le verbe.***

Exemple : Elle et toi, (acheter) des chaussettes → Elle et toi, vous achetez des chaussettes.

Paul et Jack (apporter) des boîtes de cassoulet. — Marie (acheter) une cravate pour Jean. — Le professeur (répéter) la question. — Sylvie et toi, (acheter) ces chaussures ? — Marc et moi, (préférer) ce pull-over. — Toi et moi, (acheter) ces chemises. — Elle et lui, (répéter) la phrase. — André et elles, (préférer) la télévision. — Bob et Carole (acheter) des chemises. — Toi, (posséder) cet appartement ?

POUR BIEN PRONONCER

Les sons [i] / [y]   L'Université est à dix minutes.

12 ***Écoutez ; répétez.***

a. Il achète cette chemise dans cette boutique ? — La chemise est dans la vitrine. — C'est un article pratique. — Qui est-ce qui a le prix de cet article ?

b. Les chaussures sur le bureau ? C'est amusant. — Quel numéro ? — Cet étudiant a une voiture, cette étudiante préfère le bus. — Le pull-over ne va pas avec le costume.

13 ***Écoutez ; répétez.***

Le costume est dans la vitrine. — Le petit ami de sa fille a une voiture et un studio ; il va au bureau en bus. — Le bus, c'est pratique. — En dix minutes, il est en ville, au six de la rue Ballu.

Écoutez une deuxième fois et écrivez.

Que choisir ?

14 *Complétez la liste des vêtements masculins et des vêtements féminins. Utilisez votre dictionnaire.*

15 *Quelle couleur préférez-vous ?*
pour un pantalon ?
pour un col roulé ?
pour un pantalon et pour un col roulé ?

pour LUI		pour ELLE
un pantalon	→	une jupe
un pantalon	→	
un pantalon	→	
	←	un chemisier
un blazer	→	
un costume	→	
un imperméable	→	
	←	un manteau
....	→	

16 *Votre couleur préférée ?*
Cherchez dans le dictionnaire
dix objets qui ont cette couleur.

17 *Pour un ami, pour une amie ou pour vous-même, choisissez un ou plusieurs articles.*

Pour vous aider :

CHAUSSURES

cm	25	25,6	26,3	27	27,6	28,3	29
pointures	39	40	41	42	43	44	45

La longueur de votre pied est de vingt-cinq centimètres. Vous faites du trente-neuf.

GANTS

cm	20	21,5	23	24	25,5
pointures	7 1/2	8	8 1/2	9	9 1/2

Le tour de votre main est de vingt et un centimètres et demi. Vous faites du huit.

CEINTURES

Le tour de taille correspond à la longueur de la ceinture, de la boucle au trou central.

D Elégants et raffinés, les gants en véritable cuir d'agneau très souple. 3 nervures sur le dos. Poignets fendus et surpiqués. Doublure tricot acrylique.
gold 438.1858
5 pointures
7 1/2, 8, 8 1/2, 9, 9 1/2   **225 F**

E Fabriquée en Angleterre, une superbe ceinture en cuir de sellerie piqué. 2 passants. Boucle métal. Larg. 25 mm.
marron 543.4793
7 tours de taille (en cm)
80, 85, 90, 95, 100, 105, 110   **145 F**

H Les mocassins style américain : qualité et finitions superbes. Dessus cuir. Entièrement doublés peau. Première intérieure peau. Semelle cuir. Patte fantaisie. Talon 2,5 cm. *Les autres chaussures homme sont vendues p.738 à 745.*
noir 616.1545
7 pointures
39, 40, 41, 42, 43, 44, 45   **385 F**

18 **Vous voulez une eau de toilette pour votre ami, pour votre mari ou pour votre père.**
Une vendeuse vous aide.

Elle vous conseille l'eau de toilette Lacoste et vous aimez le parfum.

Elle vous conseille l'eau de toilette Lacoste et vous n'aimez pas le parfum.

Vous voulez l'eau de toilette Lacoste mais la parfumerie ne vend pas de parfum Lacoste.

Pour vous aider :

- Vous désirez ?   – Je cherche...
                   – Je voudrais...
                   – ..., vous avez ?

- Prenez...
- Vous avez...
- C'est une eau de toilette | agréable   – Oui, elle est agréable...
                                fraîche   – Non, elle est trop...
                                légère   – Non, elle n'est pas assez...
                                discrète

- Je regrette...
- Je peux vous proposer autre chose ?
- Essayez... Elle est très bien.

- En flacon ou en atomiseur ?
- Le petit modèle ou le grand ?   – Le grand modèle fait combien ?
- C'est pour offrir ?
- Je vous fais un paquet-cadeau ?

- Je vous parfume ?   – Oui, volontiers.
- Vous avez un parfum préféré ?   – Non, merci.
...   ...

---

19 **Pierre aime le violet, Paul aime le marron, François va au théâtre et Vincent n'aime pas les costumes. Quelle tenue portent-ils ?**

POUR LE FESTIVAL D'AUBER, CHACUNE DE CES TENUES EST EXIGÉE.

20 *Lecture.*

 Je te promets qu'il n'y aura pas d'i verts.
Il y aura des i bleus,
des i blancs, des i rouges,
des i violets, des i marron,
des i guanes, des i guanodons,
des i grecs et des i mages,
des i cônes, des i nattentions,
Mais il n'y aura pas d'i verts.

Texte de LUC BÉRIMONT, les Éditions ouvrières, Paris, 1979.

12

Tu dépenses trop !

Elle et lui.

ELLE : Tu as le carnet de chèques ?...

LUI : Oui, pourquoi ?

ELLE : Il y a deux ou trois gros chèques à faire. Pour huit ou neuf mille francs au moins. Ta voiture, nos impôts, mon dentiste...

LUI : Nous avons assez d'argent sur le compte ?

ELLE : Oui, je pense...

LUI : Depuis cinq ou six mois, nous dépensons beaucoup ! Tu ne trouves pas ?

ELLE : Mais tout augmente ! Le loyer, les transports, la nourriture...

LUI : Oh... Oh...

ELLE : Et puis, nous allons trop souvent au restaurant.

LUI : Tu crois ? Nous n'allons pas trop souvent au théâtre et au cinéma ?
Et toi, tu achètes peut-être un peu trop de vêtements ?

ELLE : Écoute... Je travaille... au bureau... à la maison... plus que toi !
Et je gagne autant que toi ! Alors, je...

LUI : Oh ! ce n'est pas un reproche... Mais nous avons beaucoup de frais : la scolarité des enfants, nos vacances, les loisirs... Nous ne faisons pas un sou d'économie !

ELLE : Des économies ? Pour quoi faire ? Après tout, l'argent ne fait pas le bonheur !

LUI : Oh... le bonheur sans argent...

Cent et plus

100	cent	1 000	mille	10 000	dix mille
101	cent un	1 001	mille un	10 001	dix mille un
102	cent deux	1 002	mille deux	. . .	
. . .		. . .		. . .	
110	cent dix	1 100	mille cent	10 100	dix mille cent
			onze cents	. . .	
160	cent soixante	1 160	mille cent soixante	. . .	
			onze cent soixante	. . .	
. . .		. . .		. . .	
200	deux cent**s**	2 000	deux mille	100 000	cent mille
201	deux cent un	2 001	deux mille un	. . .	
202	deux cent deux	. . .		1 000 000	un million
. . .		. . .		2 000 000	deux million**s**
400	quatre cent**s**	. . .		. . .	
. . .		8 000	huit mille	1 000 000 000	un milliard
900	neuf cent**s**	9 000	neuf mille	2 000 000 000	deux milliard**s**

1 **_Répondez_** _c'est vrai..., c'est faux..., peut-être_.

Exemple : Ils n'ont pas assez d'argent sur leur compte. →
C'est faux, ils ont assez d'argent sur leur compte.

      a. Le loyer, les transports augmentent, la nourriture aussi.
      b. Ils ne vont pas trop souvent au restaurant.
      c. Elle gagne plus que son mari.
      d. Elle travaille plus que son mari.
      e. Ils font des économies.
      f. Ils n'ont pas assez d'argent à la banque.

2 **_Plus / moins cher que..._**

    L'appareil photo est...

    Le téléviseur couleur est...

3 **_Terminez les phrases._**

    ELLE : Écoute... Je travaille... au bureau... à la maison... plus que toi ! Et je gagne autant que toi ! Alors, je...
    LUI : Oh... le bonheur sans argent...

4 **_Lecture ou dictée._**

 Tout augmente : le loyer, les transports, la nourriture... et ce ménage dépense beaucoup trop. Lui, il aime bien manger au restaurant ; elle, elle aime le cinéma, le théâtre et les beaux vêtements. Ils travaillent tous les deux, ils gagnent bien leur vie... et ne font pas un sou d'économie... Mais, après tout, est-ce que l'argent fait le bonheur ?

POUR PRATIQUER LA GRAMMAIRE

Les adjectifs possessifs

			singulier			pluriel
			masculin	féminin		
C'est	à moi — 1re pers. à toi — 2e pers. à lui — 3e pers. à elle à nous — 1re pers à vous — 2e pers. à eux — 3e pers. à elles	C'est	**mon** pantalon **ton** pantalon **son** pantalon **notre** voiture **votre** voiture **leur** voiture	**ma** veste **ta** veste **sa** veste	Ce sont	**mes** chaussures **tes** chaussures **ses** chaussures **nos** chaussures **vos** chaussures **leurs** chaussures

Remarques : 1. _Son_ ou _sa_ ?
C'est l'imperméable (masc.) de Silvio (masc.) → C'est **son** imperméable.
C'est l'imperméable (masc.) de Marina (fém.) → C'est **son** imperméable.
2. _ma, ta, sa_ devant voyelle → _mon, ton, son._
Exemple : **mon** ami**e** français**e**.

5 _Faites une phrase avec un adjectif possessif._

Exemple : Ces chaussures sont à moi. → _Ce sont **mes** chaussures._

Ces chemises sont à toi. – Ce studio est à toi. – Cette maison est à lui. – Ce veston est à moi. – Ces carnets de chèques sont à vous. – Cet argent est à nous. – Cette voiture est à moi. – Ces chaussettes sont à toi.

6 _Faites une phrase avec un adjectif possessif._

Exemple : C'est le vélo de Koffi Tetégan. → _C'est **son** vélo._

C'est le bureau de Jacques. – C'est la voiture d'Henri et de Michèle. – C'est l'imperméable de Marina. – C'est le studio de Corinne. – Ce sont les vélos de Jack et de Pam. – C'est la maison de François et d'Annie. – Voici la voiture d'Henri. – Voici les chaussettes de Sylvie. – Voilà les chaussettes de Jean et de Paul.

7 _Est-ce que vous aimez ?... Faites l'exercice à trois._

Exemple : robe, à elle → – _Est-ce que vous aimez **sa** robe ?_
– _Oui, j'aime **sa** robe._
– _Non, je n'aime pas **sa** robe._

voiture, à lui – appartement, à eux – chaussures, à elles – photos, à nous – prénom, à moi – idée, à elle.

8 _L'adjectif possessif est-il au masculin ou au féminin ?_

mon appartement confortable – ton étudiante sympathique – ton imperméable bleu – son idée amusante – son amie italienne – mon adresse à Toulouse.

9 _Photo de famille. Complétez avec les adjectifs possessifs._

ANDRÉ : Sur la photo, c'est **ma** famille et **mes** amis. Je vous présente ... père et ... mère ; à droite, voici ... sœur et ... frère. À gauche, c'est ... ami René et ... amie Irène. À côté d'Irène, c'est Alice, ... petite amie. Derrière elle, c'est ... cousin François avec ... oncle Jean.

Le verbe payer au présent

S	1	Je	**paie** (*ou* **paye**) par chèque.	Nous **payons** les transports.	1	P
I N G U L I E R	2	Tu	**paies** (*ou* **payes**) comptant ?	Vous **payez** les cafés ?	2	L U R I E L
	3	On Il Elle	**paie** (*ou* **paye**) le restaurant.	Ils Elles **paient** (*ou* **payent**) le loyer.	3	

Remarque : Les 1re, 2e et 3e personnes du singulier et 3e du pluriel s'écrivent avec **i** ou **y**.

10 *Complétez avec le verbe payer.*

Vous ... comptant ? – Combien ...-t-il par an pour son loyer ? – Nous ... avec une carte de crédit. – Oui, je ... comptant. – Combien ...-tu par mois pour ta voiture ?

Plus que, moins que, autant que : la comparaison

Je travaille 6 heures ; elle travaille 8 heures.
↓
Je travaille **moins qu'**elle.
Elle travaille **plus que** moi.

Je travaille 6 heures ; elle travaille 6 heures.
↓
Je travaille **autant qu'**elle.
Elle travaille **autant que** moi.

Remarques :

1. Je gagne **plus (moins, autant) d'**argent **que** toi :
→ plus (moins, autant) + de (d') + nom + que (qu').
2. Je suis **plus (moins)** grand **que** toi :
→ plus (moins) + adjectif + que (qu').
MAIS : je suis **aussi** grand **que** toi.

11 *Comparez. Attention, plusieurs réponses sont possibles !*

Exemple : Jean gagne 9 000 F ; Jeanne gagne 8 000 F. → Jean gagne plus que Jeanne. ou Jeanne gagne moins que Jean.

Andréa dépense 500 F ; Angelica dépense 400 F. – Saïd achète six chemises ; Hassan achète huit chemises. – Harry a trois costumes ; Mike a trois costumes. – Josef est grand ; Marek est grand. – Claudio boit trois cafés ; Markus boit un café. – Karin mange une côtelette ; Marion mange deux côtelettes. – Tu es sympathique ; il est sympathique. – Le vin rouge est bon ; le vin blanc est bon.

POUR BIEN PRONONCER

Le son [R]

12 *Écoutez ; répétez.*

a. De l'argent. – Un imperméable pratique et bon marché. – J'achète les trois cravates de la vitrine. – Le R.E.R., c'est pratique, et c'est très confortable. – Je fais mes courses au *Bon Marché* et aux *Trois-Quartiers.*

b. Pour les transports, j'ai une voiture. – Il possède quatre paires de chaussures noires et quatre blazers noirs. – Il aime le théâtre de boulevard.

c. Il entre dans un restaurant de la rue Racine. – Il répète : « Je suis en retard, je suis en retard, je suis en retard... Oh là là ! je suis en retard. Quel retard ! »

Écoutez une deuxième fois et écrivez.

Argent, argent...

13 *Comprenez-vous ces proverbes français ? Avez-vous, dans votre pays, les mêmes proverbes ?*

LES BONS COMPTES FONT LES BONS AMIS.

L'argent ne fait pas le bonheur.

Le temps, c'est de l'argent.

Les conseilleurs ne sont pas les payeurs.

14 *Les dépenses des Français.*

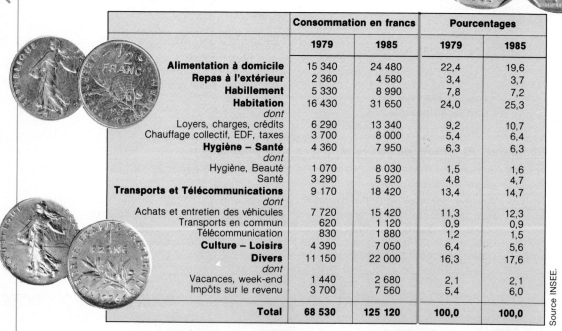

	Consommation en francs		Pourcentages	
	1979	**1985**	**1979**	**1985**
Alimentation à domicile	15 340	24 480	22,4	19,6
Repas à l'extérieur	2 360	4 580	3,4	3,7
Habillement	5 330	8 990	7,8	7,2
Habitation	16 430	31 650	24,0	25,3
dont				
Loyers, charges, crédits	6 290	13 340	9,2	10,7
Chauffage collectif, EDF, taxes	3 700	8 000	5,4	6,4
Hygiène – Santé	4 360	7 950	6,3	6,3
dont				
Hygiène, Beauté	1 070	8 030	1,5	1,6
Santé	3 290	5 920	4,8	4,7
Transports et Télécommunications	9 170	18 420	13,4	14,7
dont				
Achats et entretien des véhicules	7 720	15 420	11,3	12,3
Transports en commun	620	1 120	0,9	0,9
Télécommunication	830	1 880	1,2	1,5
Culture – Loisirs	4 390	7 050	6,4	5,6
Divers	11 150	22 000	16,3	17,6
dont				
Vacances, week-end	1 440	2 680	2,1	2,1
Impôts sur le revenu	3 700	7 560	5,4	6,0
Total	**68 530**	**125 120**	**100,0**	**100,0**

Source INSEE.

Comment les Français dépensent-ils leur argent ?
Ils dépensent peu, assez, beaucoup, trop... d'argent pour...
Vous dépensez plus, vous dépensez moins...

Dialoguez avec votre voisin.

15 *Comment payez-vous ?*

À la caisse du supermarché. Complétez les dialogues.

– Vous payez par chèque ou en espèces ?
– ...
– Vous avez une pièce d'identité ?
– ...

– Vous n'avez pas les quarante-cinq centimes ?
– ...
– Cent cinquante et cinquante ... 200.
  Votre ticket de caisse...
– ...

16 *Qu'est-ce que vous pouvez faire ?*

avec une carte de crédit

avec une carte de crédit internationale

avec une télécarte

- je peux faire des achats,
- je peux louer une voiture,
- je peux prendre un billet d'avion,
- je peux téléphoner de France en France,
- je peux régler la note au restaurant,
- je peux retirer de l'argent à un distributeur automatique,
- je peux téléphoner de France à l'étranger,
- je peux retirer de l'argent au guichet de certaines banques.

17 *Lecture.*

 HARPAGON : Au voleur ! au voleur ! à l'assassin ! au meurtrier ! justice, juste ciel ! je suis perdu, je suis assassiné ; on m'a coupé la gorge : on m'a dérobé mon argent. [...]
N'est-il point là ? N'est-il point ici ? Qui est-ce ? Arrête. Rends-moi mon argent, coquin *(il se prend lui-même le bras)*. Ah ! C'est moi ! [...]
Hélas ! mon pauvre argent ! mon pauvre argent !

MOLIÈRE, *L'Avare,* acte IV, scène VII.

Pour travailler à la maison

■ **Exprimer ses besoins et ses goûts.**
■ **Localiser.**
■ **Acheter.**

▶ *Les adjectifs démonstratifs.*
▶ *Je demande ... C'est à ...*
▶ *Ce vélo-ci, ce vélo-là.*
▶ *Je demande... (rappel)*
▶ *Les verbes acheter et préférer au présent.*
▶ *Les sons* [i] / [y].

● *Que choisir ?*

APPRENEZ *par cœur*

le présent des verbes acheter *et* préférer.

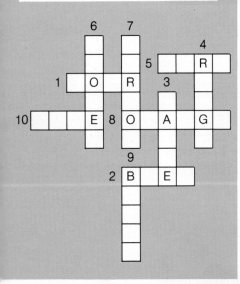

Pour l'exercice 4, relisez le dialogue de la page 78 et la page 79.
Pour l'exercice 2, relisez le poème de Luc Bérimont, page 83.

---

expressions et mots nouveaux

Achat, n. m.
Acheter, v.
Article, n. m.
Besoin de/d'(avoir), loc.
Blazer, n. m.
Bleu(e), adj.
Boutique, n. f.
Bureau, n. m.
Cadeau, n. m.
Ces, adj. dém. plur.
Cette, adj. dém. f. sing.
Chapeau, n. m.
Chaussure, n. f.
Chemisier, n. m.
Choisir, v.
Clair(e), adj.

Col roulé, n. m.
Costume, n. m.
Couleur, n. f.
Courageux(se), adj.
Courses (faire les), loc.
Coûter, v.
Exagérer, v.
Fou, adj.
Foncé(e), adj.
Goût, n. m.
Gris(e), adj.
Imperméable, n. m.
Joli(e), adj.
Jupe, n. f.
Main, n. f.
Marron, adj. inv.
Modèle, n. m.

Moins (au), loc. adv.
Noir(e), adj.
Offrir, v.
Paire, n. f.
Pantalon, n. m.
Penser, v.
Porter, v.
Posséder, v.
Pratique, adj.
Printemps, n. m.
Prix, n. m.
Proposer, v.
Rose, adj. inv.
Solder, v.
Trop, adv.
User, v.
Vêtement, n. m.
Vitrine, n. f.

---

1 ***Rétablissez l'ordre des phrases.***

— Dans les soldes ?
— Et de quelle couleur, cette robe et ce chapeau ?
— Je vais acheter une robe et un chapeau.
— Non, au « Bon Marché », les robes et les chapeaux ne sont pas chers !
— Dans les bleus ou peut-être dans les verts...

2 ***Placez le nom de dix couleurs dans la grille et, avec votre dictionnaire, complétez.***

1. N... comme ... ... / 2. B... comme ... ... / 3. J... comme ... ... / 4. Rouge comme un poisson. 5. V... comme ... ... / 6. V... comme ... ... / 7. M... comme ... ... / 8. O... comme ... ... / 9. B... comme ... ... / 10. ...E comme ... ...

3 ***Transformez les phrases avec « ça » (pronom démonstratif).***

Exemple : Ce blazer bleu foncé vous va bien. → Ça vous va bien.

Le voyage de Toulouse à Paris coûte cher. →
Vous aimez ce film ? →
J'achète cette jupe, ce chemisier et ces chaussures. →
Cette voiture roule vite. →
Cet imperméable ? C'est à moi. →

4 ***Donnez les deux autres formes interrogatives.***

Exemple : Tu aimes cette chemise. → Est-ce que tu aimes cette chemise ? et Aimes-tu cette chemise ?

Nous passons par la rue de la Banque ? →
Elle cherche un chemisier ? →
Il préfère acheter un blazer ? →
Ils vont chez « Sacha » ? →
« Sacha », c'est facile à prononcer ? →

5 ***Complétez.***

Où allons-nous ? ... « Bon Marché » ou ... « Printemps » ? Je cherche un chemisier pour aller avec ... jupe. Moi, j'ai besoin d'un costume pour aller ... bureau ou d'un blazer. Un blazer bleu va bien ... un pantalon gris. J'ai aussi besoin de chaussures pour aller ... le costume. ... « Sacha », il y a de beaux modèles en vitrine.

LEÇON 12

Pour travailler à la maison

expressions et mots nouveaux

Après tout, *loc. adv.*
Argent, *n. m.*
Augmenter, *v.*
Aussi que, *adv.*
Autant que, *adv.*
Bonheur, *n. m.*
Carnet, *n. m.*
Centime, *n. m.*
Chacun, *pron. indéf.*
Chèque, *n. m.*
Combien, *adv. interrog.*
Comptant, *adv.*
Compte, *n. m.*
Croire, *v.*

Dentiste, *n. m.*
Dépenser, *v.*
Derrière, *prép.*
Économie, *n. f.*
Espèces, *n. f. plur.*
Frais, *n. m. plur.*
Franc, *n. m.*
Gagner, *v.*
Impôts. *n. m. plur.*
Loyer, *n. m.*
Malheureux(se), *adj.*
Moins que, *adv.*
Nombres (100 et plus)
Nos, *adj. poss. plur.*
Nourriture, *n. f.*

Payer, *v.*
Plus que, *adv.*
Puis (et), *adv.*
Reproche, *n. m.*
Sans, *prép.*
Scolarité, *n. f.*
Sou, *n. m.*
Téléviseur, *n. m.*
Tout, *pron. indéf.*
Transports, *n. m. plur.*
Trouver, *v.*
Veste, *n. f.*
Vie, *n. f.*

- ■ *Interroger, s'interroger.*
- ■ *Faire des reproches, se justifier.*
- ■ *Les nombres (100 et plus).*
- ▶ *Les adjectifs possessifs.*
- ▶ *Le verbe payer au présent.*
- ▶ *Plus que, moins que, autant que : la comparaison.*
- ▶ *Le son [R].*
- ● *Argent, argent...*

APPRENEZ *par cœur*

les nombres (100 et plus) page 85 et le présent du verbe payer.

1 *Trouvez une question.*

Exemple : – Oui. → Tu as ton carnet de chèques ?

- – Non, pas assez ! →   – Non, pas un sou. →
- – Oui, trop souvent. →   – Plus que toi ! →
- – Je ne crois pas. →

2 *Conjuguez les verbes.*

Exemple : payer, 1ʳᵉ personne, singulier → Je paie ou je paye.

Acheter, 2ᵉ pers., sing. – faire, 3ᵉ pers., plur. – aller, 1ʳᵉ pers., sing. – préférer, 1ʳᵉ pers., sing. – aller, 3ᵉ pers., plur. – faire, 1ʳᵉ pers., plur. – payer, 3ᵉ pers., plur.

3 *En France, ça coûte... et chez moi (dans mon pays)...*

Exemple : téléviseur couleur, 4 000 francs → En France, un téléviseur couleur coûte 4 000 F. Dans mon pays, un téléviseur couleur coûte... C'est moins (plus, aussi) cher.

- a. un vélo, 1 500 francs →
- b. une petite voiture, 35 000 francs →
- c. une grosse voiture, 120 000 francs →
- d. un bon appareil photo, 2 500 francs →
- e. un beau manteau, 4 500 francs →

4 *Peu ? Beaucoup ? Trop ? Beaucoup trop (de)... ? Qu'est-ce que vous pensez ?*

Exemple : On passe (films) à la télévision. → On passe beaucoup trop de films à la télévision !

- a. Nous dépensons. →
- b. Elle achète (vêtements). →
- c. Nous faisons (économies). →
- d. Nous avons (frais). →
- e. Il y a (voitures) dans les rues. →
- f. Le samedi, il y a (monde) dans les magasins. →
- g. Avez-vous (vacances) ? →

Pour les exercices 1 et 5, relisez le dialogue de la page 84.
Pour l'exercice 2, regardez les pages 72, 81 et 87.

5 *Complétez.*

Madame aime acheter des ... . Monsieur, lui, aime ... au restaurant. Tous les deux, ils aiment aller au ... et au ... . Ils ont beaucoup de ... . Ils dépensent tout leur ... et ne font pas un sou d'... . Pour Madame, l'argent ne fait pas le ... . Monsieur, lui, n'est pas ... : ... argent, on est malheureux.

13 « Cherche quatre pièces... »

Madame Mouly, Monsieur Mouly.

ELLE : Il faut déménager... Les enfants grandissent... Chacun va avoir besoin d'une chambre maintenant.

LUI : Oui. Mais... c'est un gros problème. Qu'est-ce qu'on fait ? On reste à Paris ? On cherche quelque chose en banlieue ?

ELLE : Difficile de choisir. Il faut rester à Paris, tu ne penses pas ? Pour notre travail, l'école des enfants, nos amis...

LUI : Tu n'as pas tort ; mais... tu imagines une maison avec un garage et un jardin pour les enfants ? Et puis... en banlieue, les loyers sont beaucoup moins chers ! J'ai envie de...

ELLE : La banlieue c'est triste, et moi je préfère les vieilles maisons. Voyons... nous avons besoin de quatre pièces au moins.

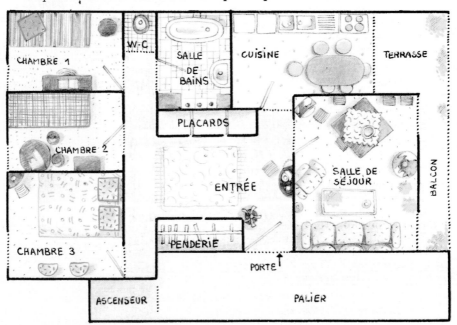

LUI : Oui, de trois chambres et d'une grande salle de séjour.

ELLE : Et d'une belle entrée avec beaucoup de placards.

LUI : A Paris, dans un bon quartier, dans un vieil immeuble, au troisième ou au quatrième étage, ça va coûter... euh... dans les six ou sept mille francs par mois. Avec les charges...

ELLE : Tant que ça ?

LUI : Oui... et nous allons aussi avoir besoin de nouveaux meubles : un lit, un bureau... une bibliothèque... Tu vois ?

ELLE : Je vois... pour nous... encore quelques années difficiles...

LUI : Eh oui ! chérie...

loyer = rent

1 *Cochez la bonne réponse.*

Les enfants sont grands. ☐   Chacun va avoir sa chambre. ☐

Les enfants grandissent. ☐   Chacun a sa chambre. ☐

Les enfants sont petits. ☐   Chacun va avoir besoin d'une chambre. ☐

Monsieur Mouly préfère la banlieue. ☐   Les loyers sont chers en banlieue. ☐

Madame Mouly préfère la banlieue. ☐   Les loyers ne sont pas chers en banlieue. ☐

Les enfants préfèrent la banlieue. ☐   Les loyers sont moins chers en banlieue. ☐

Quatre pièces, c'est trois chambres et une salle de séjour. ☐

Quatre pièces, c'est quatre chambres. ☐

Quatre pièces, c'est trois chambres et une belle entrée. ☐

2 *Conseillez : utilisez il faut ou il ne faut pas (plusieurs réponses sont possibles).*

Exemple : La maison est petite... Il faut déménager !

La maison est trop grande...	Il faut déménager !
Vous n'avez pas beaucoup d'argent...	Il ne faut pas déménager !
La banlieue est triste...	Il faut rester à Paris !
Vous préférez les vieilles maisons...	Il ne faut pas rester à Paris !
Vous avez des enfants...	Il faut habiter en banlieue !
Vous voulez de nouveaux meubles...	Il ne faut pas habiter en banlieue !
	Il faut faire des économies !

3 *Racontez le dialogue de la page 92.*

Exemple : Les enfants / grands / maintenant → Les enfants sont grands maintenant.

ils / chambre / avoir besoin. →
famille / aller / déménager. →
père / banlieue / avoir envie / aller. →
mère / ne pas aimer / banlieue / préférer Paris. →
où / ils / est-ce que / aller / habiter ? →

4 *Des expressions avec avoir : relisez le dialogue de la page 92 et complétez.*

avoir besoin d'une chambre, **de** pièces, **de** meubles : Les enfants ... une chambre. Les Mouly ... quatre pièces et vont aussi ... nouveaux meubles.

avoir envie de rester à Paris, **d'**habiter en banlieue : Madame Mouly ... rester à Paris ; monsieur Mouly, lui, ... habiter en banlieue.

avoir tort / avoir raison : Madame Mouly pense qu'il faut rester à Paris, elle n'... ; mais monsieur Mouly, lui, pense qu'il faut habiter en banlieue, est-ce qu'il ... ?

Et vous, de quoi avez-vous besoin ? De quoi avez-vous envie ?

5 *Lecture ou dictée.*

Monsieur et madame Mouly ont besoin de déménager : leurs enfants grandissent. Il faut déménager, oui... mais c'est un gros problème ! Où aller ? Rester à Paris ? Chercher en banlieue ? En banlieue, les loyers sont beaucoup moins chers..., mais madame Mouly, elle, voudrait bien rester en ville... Dans un bon quartier, à Paris, pour un appartement de quatre pièces, le loyer est de six ou sept mille francs par mois, les charges en plus... C'est très cher !

Le verbe choisir au présent

S	1	Je **choisis** une cravate.	Nous **choisissons** le restaurant.	1	P
I	2	Tu **choisis** un chapeau ?	Vous **choisissez** le film ?	2	L
N		On	Ils		U
G	3	Il **choisit** la couleur.	**choisissent** leurs amis.	3	R
U		Elle	Elles		I
L					E
I					L
E					
R					

Remarque : Ces verbes se conjuguent comme **choisir** → *finir, grossir, maigrir, grandir, vieillir, rougir, jaunir, noircir, blanchir.*

6 *Un étudiant pose la question ; un autre répond.*

Exemple : Qu'est-ce que tu choisis ? Je choisis les chaussures.

Les adjectifs beau, nouveau et vieux : genre, nombre et place

| | masculin | | féminin |
	devant consonne	devant voyelle	
singulier	un beau jardin un nouveau logement un vieux quartier	un **bel** appartement un **nouvel** immeuble un **vieil** immeuble	une belle chambre une nouvelle résidence une vieille robe
pluriel	les beaux chapeaux les nouveaux films les vieux manteaux	les **beaux** enfants les **nouveaux** avions les **vieux** imperméables	les belles boutiques les nouvelles chaises les vieilles maisons

7 *Beau, beaux, bel, belle, belles ? Complétez.*

un ... costume – de ... livres – une ... chambre – un ... enfant – un ... homme – un ... restaurant – un ... hôtel – une ... horloge – une ... école – un ... immeuble – de ... films – un ... hôpital.

8 *Du vieux et du nouveau. Faites l'exercice à deux.*

Exemple : mon manteau → – Moi, j'aime bien mon vieux manteau.
– Eh bien moi, je préfère mon nouveau manteau.

mon chapeau – mon anorak – mon quartier – mon appartement – les films – les boutiques – mes chaussures – les bistrots – les livres – ma voiture.

Les déterminants : récapitulation

Les déterminants sont **avant** le nom.

a. déterminants d'identité

	défini		possessif		démonstratif	
	masculin	féminin	masculin	féminin	masculin	féminin
singulier	le	la	mon, ton, son	ma, ta, sa	ce, cet	cette
	l'		notre, votre, leur			
pluriel	les		mes, tes, ses, nos, vos, leurs		ces	

Remarques : 1. *L'* devant voyelle, voir page 31.
2. *Mon, ton, son :* féminin devant voyelle, voir page 86.
3. *Cet,* devant voyelle, voir page 80.
4. *Au, aux, du, des,* voir page 73.

9 *Quel est le déterminant ?*

Exemple : Je prends (le, cette) bus. → *Je prends **le** bus.*

Je préfère (la, ce) banlieue. – Dans (cette, ce, sa) vieil immeuble, (cette, notre, les) chambres sont trop petites. – Il achète (sa, son) imperméable dans (ses, ces, la) petite boutique du boulevard Bonne-Nouvelle. – (Votre, sa, leurs) chaussettes sont rouges et jaunes. – J'aime (la, sa, ces) couleurs.

b. déterminants de quantité

Il y a un certain nombre de personnes ou de choses que l'on peut compter.

Remarque :
Autres déterminants : plusieurs, quelques, beaucoup de, peu de + nom au pluriel.

	masculin	féminin
singulier	un	une
pluriel	des, deux, trois, quatre...	

10 *Mettez un déterminant.*

Exemple : J'achète ... chaussettes. → *J'achète **des** ou **ces** chaussettes.*

Je préfère ... demi. – Il a ... boîtes de cassoulet. – Elles ont ... boîte de cassoulet. – Il y a ... bus à six heures. – Nous allons acheter ... bouteilles de vin.

POUR BIEN PRONONCER

Les sons [u], [i] et [y]

Je voudrais du cassoulet de Toulouse et une bouteille de vin rouge.

11 *Écoutez ; répétez.*

a. Nous sommes souvent dans la salle de séjour. – Où habitez-vous ? Boulevard Bonne-Nouvelle. – La nouvelle boutique est ouverte. – Nous n'avons pas beaucoup de nouvelles de nos amis de Toulouse. – Combien coûte ce pull-over rouge ? – Vous allez sans doute en cours ? – Ce vin a bon goût.

b. Qu'allons-nous choisir ? Allons-nous habiter en ville dans un vieil immeuble ? – Souvent la salle de séjour est petite. – La boutique est ouverte ; il y a de nouvelles jupes en vitrine.

Écoutez une deuxième fois et écrivez.

Avoir un toit

LOGEMENT :
30 % des Français mécontents
À Paris, ils sont 42 %

Dans les tours,
les charges crèvent le plafond

Les tours, c'est 10 % plus cher

SONDAGE

Êtes-vous satisfait de votre logement ? OUI . . . . 69 NON . . . . 30 Ne se prononcent pas . . . . 1 <small>Sondage réalisé auprès des Français en 1987.</small>	*Depuis 1983, vos dépenses de logement (loyer et charges) ont-elles augmenté plus vite que vos revenus ?* OUI . . . . 64 NON . . . . 28 Ne se prononcent pas 8

12 **_Et vous, êtes-vous satisfait de votre logement ?_**

Dépensez-vous beaucoup pour vous loger ?

13 **_Vous trouvez ça cher ?_**

M. Ledoux habite un grand deux pièces (soixante mètres carrés) dans un immeuble de bon standing. Il a un parking au sous-sol. Il habite en banlieue à quinze minutes du RER.

14 **_Choisissez une petite annonce et interrogez votre voisin ou votre voisine._**

L'appartement est à louer ? à vendre ?   Il est grand ? Il a combien de pièces ?

VENTES
appartements
PARIS
9ᵉ arrondt

TRUDAINE, pierre de taille, 2 p. tt cft, bains, calme. 229 000 F ou crédit. 2 250 F mensuels. Tél. 43.27.00.00.

16ᵉ arrondt

FAISANDERIE Beau 2 p. 62 m² calme. 1 150 000 F. Tél. 42.89.00.00.

20ᵉ arrondt

Paris-20ᵉ, près Mº St-Mandé, appt 2 p. cuis., cft, 2ᵉ étage, clair. 259 000 F. Crédit. Tél. 43.70.00.00.

18ᵉ arrondt

Beau studio entièr. ref. neuf dans bon imm. 211 000 F. Tél. 47.66.00.00.

BANLIEUE
78 Yvelines

(R.E.R. 1988) 17 km Saint-Lazare Entrée, 3 p. cuis., s. bns, w.c. VUE IMPRENABLE PARIS Soleil, verdure, ch. centr. Prix 380 000 F. Crédit 100 %. Tél. 43.87.00.00.

91 Essonne

STE-GENEVIÈVE-DES-BOIS. Résid. récente, 4 p. 330 000 F. SOGIF. Tél. 45.63.00.00.

LOCATIONS
offres
PARIS
4ᵉ arrondt

Administrateur de biens loue studio 30 m², cuis. équip., loyer 3 000 F par mois + 600 F charges. Tél. matin de 9 h 30 à 12 h. Tél. 45.53.00.00.

BANLIEUE
91 Essonne

Particulier (91) à louer immédiatem. ÉVRY, appart. 4 p. duplex + jardin, box sous-sol. 3 900 F/mois ch. comprises. Tél. 60.88.00.00, heures bureau.

Pour vous aider :

cuis. : cuisine
ch. : charges
chf. centr. : chauffage central
équip. : équipée
immédiatem. : immédiatement
Mº : métro
ref. : refait
résid. : résidence
r. : rue
s. bns. : salle de bains

15 _Lisez la lettre de M. Ledoux et répondez-lui._

Mon cher ami,

Pour les vacances d'été, je cherche à louer une petite maison à la campagne près de chez toi. Avec nos trois enfants, nous avons besoin de deux ou trois chambres, d'un grand "séjour", d'une cuisine et d'une salle de bains bien équipées.

Peux-tu trouver ça pour nous ?

Toutes nos amitiés.

Yves Ledoux

Pour vous aider :

VACANCES

CAMPAGNE

SÉJOUR NOUVEL ÂGE À SAINT-PRIX

95 VAL-D'OISE Pour personnes âgées ne souhaitant plus faire de longs voyages : vacances et repos. À la semaine en août 87 au CPCV Saint-Prix, lisière forêt. Tél. (1) 34.45.56.07.

MER

À louer, JUAN-LES-PINS, studio tt cft, très calme, 50 m plage, du 15/6 au 14/7 + septembre. Tél. 95.68.65.00, p. 18, ou après 20 h au 46.36.04.54.

BRETAGNE SUD (29), particulier loue proximité plage, maison caractère, tout confort. Tél. 98.20.25.32.

MONTAGNE

VAL-THORENS

Studio 4 places tout confort, balcon, piscine, équitation. Très calme, bien exposé. Tél. 43.00.89.87.

ÉTRANGER

Loue appt. F4, avec terrasse bord de mer. Gandia (Espagne), juin, juillet, août, sept. ou hors saison, quinz. ou mois. Tél. 48.61.00.01, après 19 h.

> F4 : quatre pièces
> quinz. : quinzaine (deux semaines)

16 _Par écrit, décrivez votre habitation idéale._

17 _Vous cherchez à louer une maison au bord de la mer, à la montagne ou à la campagne pour vos vacances. Écrivez au syndicat d'initiative._

Messieurs,

Pour | le mois de ...
x semaines, du ... au ..., nous cherchons à louer | à ...
la période du ... au ... | près de ...

Nous voudrions...

Pouvez-vous nous indiquer les possibilités et les conditions ?
Par avance, je vous remercie et vous prie d'agréer, Messieurs, l'expression de ma considération distinguée.

18 _Lecture._

 C'est dans un studio qu'elle (1) habite (XVIᵉ, près Bois. Lux. Studio, 30 m². 6ᵉ s./rue, asc. desc. s. de b., kitch.). L'imaginerait-on dans un pavillon à Saint-Maur ? L'accès de l'immeuble est formellement interdit aux représentants, quêteurs et démonstrateurs.

PASCAL LAINÉ, _La Dentellière_, Gallimard.

(1) Elle : Marylène.

14

Le monde est petit...

Deux copains, Patrick et Daniel.

PATRICK :   Comme le monde est petit ! Tu sais qui je viens de rencontrer dans ton escalier ?

DANIEL :   Non...

PATRICK :   Antonio ! Un ami de Lisbonne... Depuis trois ans, nous travaillons ensemble dans la même société et dans le même bureau...

DANIEL :   Qu'est-ce qu'il vient faire à Paris ? et dans cet immeuble ?

PATRICK :   Comme moi, il est en congé... Il vient voir sa famille.

DANIEL :   Sa famille habite en France ?

PATRICK :   Pas ses parents, mais son oncle et sa tante. Et ses deux cousines. Ils viennent juste d'arriver du Portugal.

DANIEL :   Ce sont les nouveaux locataires du troisième ?

PATRICK :   Oui, c'est ça. Lui est ingénieur dans une compagnie franco-portugaise ; les filles sont encore étudiantes.

DANIEL :   Ah ! je vois... Depuis quelques jours, je rencontre dans l'escalier une jolie brune...

PATRICK :   Ce sont des gens charmants... Tiens ! J'ai une idée, j'invite tout le monde au restaurant : toi, Antonio et sa famille... Tu es libre ?

DANIEL :   Non, hélas... le mardi soir, je vais dîner, moi aussi, au restaurant, avec les Westberg, mes vieux amis suédois. Nous avons une table réservée chez le « Chinois » de la rue de Madrid...

PATRICK :   Alors... pourquoi ne pas aller tous ensemble chez *ton* Chinois ?

DANIEL :   Oui... pourquoi pas ? Des Portugais, des Suédois, des Français... chez un Chinois de la rue de Madrid ! L'O.N.U. ... ou presque !

PATRICK :   Les disputes en moins... et l'amitié en plus !

1 Le mardi soir, Daniel dîne au restaurant avec ses vieux amis suédois.

Et vous, qu'est-ce que vous faites :
- le mardi soir ?
- demain matin ?
- demain après-midi ?
- dimanche ?

Quel jour avez-vous un cours de français ? À quelle heure ? Le matin ? L'après-midi ? Le soir ?

2 **Cochez les bonnes réponses.**

a. Patrick .
Antonio ☐ travaille à Paris.
L'oncle d'Antonio ☐

b. Patrick ☐
Daniel ☐ travaille à Lisbonne.
L'oncle d'Antonio ☐

c. La société   d'Antonio ☐
de l'oncle d'Antonio ☐ est portugaise.
de Patrick

d. Antonio et son oncle ☐
Patrick et Antonio ☐ travaillent dans la même société.
Antonio et Daniel ☐

e. Patrick et Daniel ☐
Antonio et son oncle ☐ habitent dans le même immeuble.
Daniel et l'oncle d'Antonio ☐

3 _Même_. **Observez le mot indéfini et complétez.**

Antonio et Patrick travaillent dans la **même** _société et dans le_ **même** _bureau._

Anne, Jack et Koffi sont dans la ... classe. À l'école, Hélène et Véronique Demy ont les ... amis. Marie habite dans le ... studio que sa « copine » de classe. Elles ont le ... professeur. Maria et Louise n'habitent pas la ... ville.

Utilisez _même_ **dans d'autres phrases.**

4 **Lecture ou dictée.**

 Patrick vient de rencontrer Antonio, son ami de Lisbonne... dans l'escalier de Daniel ! Comme le monde est petit ! L'oncle, la tante et les deux cousines d'Antonio viennent d'arriver du Portugal : ce sont les nouveaux locataires du troisième. Patrick invite tout le monde au restaurant chinois de la rue de Madrid. Daniel a déjà une table réservée. Il va dîner avec ses amis suédois. Mais les amis de nos amis sont nos amis. C'est une bonne idée de réunir tous ces gens de pays différents autour de la même table... n'est-ce pas ?

Le verbe venir au présent

S I N G U L I E R	1	Je **viens** avec toi.	Nous **venons** du 3ᵉ étage.	1	P L U R I E L
	2	Tu **viens** à l'Alliance ?	Vous **venez** dîner ?	2	
	3	On Il Elle **vient** de Madrid.	Ils Elles **viennent** en voiture.	3	

Remarque : Il vient **à** l'Alliance, **de** Madrid, **en** voiture / Il vient dîner.

5 *Conversation. Remplacez lui par toi, puis par eux, puis par elles.* **Faites l'exercice à deux.**

Exemple : – Lui, vient-il avec nous ? – Il vient passer deux jours.
→ (1ᵉʳ étudiant) : – *Toi, viens-tu avec nous ?* (2ᵉ étudiant) : – *Je viens passer deux jours.*
– Lui, vient-il avec nous ? – Il vient passer deux jours. – Avec Jacqueline ?
– Oui, il vient avec elle.

6 *Conversation. Remplacez tu par vous, puis par je.* **Faites l'exercice à deux.**

– Tu viens au cours en retard ! – Mais non, je viens en avance ! – Ah ! pardon !
– Je viens toujours en avance.

7 *Conversation. Remplacez je par nous.* **Faites l'exercice à deux.**

– Je viens de banlieue. – Tu viens en voiture ? – Non, je viens en bus. – Ah ! tu viens dans ces vieux bus ?

Venir + de + verbe à l'infinitif : le passé récent

a. **b.** **c.**

a. rappel : le futur proche

Futur proche (Dans quelques minutes), Paul	aller au présent **va**	+ verbe à l'infinitif **dîner**

b. le futur proche avec venir

Futur proche (Dans quelques minutes), Paul	venir au présent **vient**	+ verbe à l'infinitif **dîner**

c. le passé récent

Paul	Venir au présent **vient**	+ de + **de**	verbe à l'infinitif **dîner**	passé récent (il y a quelques minutes)

8 ***Faites des phrases avec** aller + l'infinitif ; venir + l'infinitif ; venir + de + l'infinitif.*

acheter des chemises – prendre le bus – jouer aux cartes – regarder la TV.

Noms de villes et de pays

a. les noms de villes sont en général masculins

> Paris est **grand.**   Je vais **à** Paris.   Je suis **à** Paris.   Je viens **de** Paris.

Remarque : La ville **de** Paris est **grande**.

b. les noms de pays qui se terminent par une consonne ou par une voyelle qui n'est pas -e sont masculins

> Le Maroc :   Je vais **au** Maroc.   Je suis **au** Maroc.   Je viens **du** Maroc.

Remarques : 1. Je vais, je suis **aux** États-Unis ; je viens **des** États-Unis.
2. Je vais, je suis **à** Madagascar, Monaco, Cuba ; je viens **de** Madagascar, Monaco, Cuba.

c. les noms de pays qui se terminent par la voyelle -e sont féminins

> La France :   Je vais **en** France.   Je suis **en** France.   Je viens **de** France.

9 ***D'où venez-vous ? Où êtes-vous ? Où allez-vous ? Utilisez la carte de la page 6.***

Exemple : Je viens de Bordeaux ; je suis à Lille ; je voudrais aller à Lyon.

10 ***D'où venez-vous ? Où êtes-vous ? Où allez-vous ?***

*Exemple : Je viens **des** Pays-Bas ; je suis à Monaco ; je voudrais aller **au** Mexique.*

Australie – Brésil – Canada – Chine Populaire – Danemark – Espagne – Iraq – Madagascar – Mexique – Pays-Bas.

Les sons [a] / [ɑ]   — Moi, je veux partir un mois.
— Pourquoi pas ?

11 ***Écoutez ; répétez.***

  Ah ! Madame, ça va mal. – Pardon, vous n'allez pas au théâtre ? – Là-bas, il y a un grand choix de bas noirs. – Je n'ai pas le choix : garçon, un café ! – Il a trois ans ; je voudrais avoir son âge ! – Nous allons avenue Émile-Zola, pas boulevard Émile-Zola. – Ça ne va pas ! J'ai trois bas ! Le troisième est à toi ? Le quatrième est là-bas ? Alors ça va.

Écoutez une deuxième fois et écrivez.

Nations Unies

CITÉS UNIES

SAINT-MAUR
jumelée avec

LA LOUVIERE
BELGIQUE

ZIGUINCHOR
SÉNÉGAL

RIMINI
ITALIE

HAMELN
ALLEMAGNE FÉDÉRALE

BOGNOR REGIS
GRANDE - BRETAGNE

LEIRIA
PORTUGAL

12 *Jumelez votre ville à une ville française et à plusieurs villes dans le monde. Quelles villes choisissez-vous ? Pourquoi ?*

13 *Où se trouvent ces restaurants ?*

14 *De quelle origine sont ces restaurants ? Dans lequel préférez-vous dîner ? Pourquoi ?*

ANNA KARENINA, 178, rue St-Martin (3ᵉ), 48.04.03.63. Ouv. J. Nuit. Dîner, chandelles, amb. musiciens et chanteur. Prix moyen : 150 F.

AZTECA nouveau, 7, rue Sauval (1ᵉʳ), 42.36.11.16. M. carte 110 F. Mus. le soir. J. 24 h.

FAKHR EL DINE (Élysées), 3, r. Quentin-Bauchart (8ᵉ). 47.23.74.24. Fourchette d'or de la gastronomie libanaise (ouvert tous les jours).

GOLDENBERG JO, 7, r. des Rosiers, 4ᵉ, 48.87.20.16. Tlj charcuterie, traiteur, restaurateur. Sptés Europe centrale. Commande jusqu 23 h 30.

KABOUKI, 9, rue de la Gaîté-Montparnasse. 43.20.04.78. Spéc. SUSHI. Prix moyen : 120 F.

LA MAISON DU VALAIS, 20, r. Royale, 8ᵉ. 42.60.22.72. Salon de thé, dégust. Spécialités suisses.

LA PAELLA, 50, r. des Vinaigriers, 10ᵉ, 42.08.26.89. T.I.J. acc. jusqu'à 1 h du mat. Cuisine réputée.

LAURIER DE CHINE, 275, bd Péreire (17ᵉ). 45.74.33.32. Restaurant gastronomique.

LE PIRÉE, 89, rue Mouffetard (5ᵉ), 47.07.35.99. Tous les jours, service jusqu'à 1 h, orchestre, chansons, danses Spiros. Ambiance. Menu : 40 F.

MAHARAJAH, 72, bd St-Germain. Mᵒ Maubert. 43.54.26.07. 7 j. sur 7 service non stop jusqu'à 23 h 30. Ven., sam., accueil clientèle jusqu'à 1 h. Cadre luxueux, salle climatisée.

15 *Lecture.*

 Le bouleau

Chaque nuit, le bouleau
Du fond de mon jardin
Devient un long bateau
Qui descend ou l'Escaut
Ou la Meuse ou le Rhin.
Il court à l'Océan
Qu'il traverse en jouant
Avec les albatros,
Salue Valparaiso,
Crie bonjour à Tokyo
Et sourit à Formose.
Puis, dans le matin rose,
Ayant longé le Pôle,
Des rades et des môles,
Lentement redevient
Bouleau de mon jardin.

MAURICE CARÊME, *La Grange bleue,* Éditions ouvrière Paris, © Fondation Maurice Carême, Bruxelles, 1961.

16 *Interrogez votre voisin ou votre voisine.*
Quel timbre préférez-vous ? (préfères-tu ?).
De quel pays vient-il ?

Pour vous aider :

Allemagne
Colombie
Finlande
Hongrie
Inde
Irlande
Japon
Jordanie
Portugal
Syrie

17

CROIX-ROUGE FRANÇAISE
CCP 600.00 Y - PARIS / MINITEL 3615 CODE CRF

La ✚ agit
grâce
à vous.

L'UNICEF est créé en 1946 par l'O.N.U.
L'UNICEF s'occupe en priorité des problèmes de l'enfance dans le monde.

La Croix-Rouge est une organisation internationale fondée en 1863 par Henri Dunant pour secourir les blessés de guerre.
Aujourd'hui, elle est présente dans tous les pays. Elle aide les victimes des guerres et des catastrophes naturelles.
En temps de paix, la Croix-Rouge aide les malades, les pauvres et les personnes seules.

Connaissez-vous d'autres organisations internationales ? Présentez-les.

LEÇON 13

Pour l'exercice 4, cherchez les mots dans un dictionnaire.
Pour l'exercice 5, relisez le n° 5 de la page 51 et le n° 4 de la page 93.

■ *Exprimer ses goûts, ses préférences et les justifier.*
■ *Faire des choix.*
▶ *Le verbe choisir au présent.*
▶ *Les adjectifs beau, nouveau et vieux : genre, nombre et place.*
▶ *Les déterminants : récapitulation.*
▶ *Les sons* [u] / [i] / [y]
● *Avoir un toit.*

APPRENEZ

par cœur

le présent du verbe choisir.

---

expressions et mots nouveaux

Bibliothèque, *n. f.*	Immeuble, *n. m.*	Rentrer, *v.*
Chacun, *pron. indéf. masc.*	Lit, *n. m.*	Résidence, *n. f.*
Charges, *n. f. plur.*	Location, *n. f.*	Rester, *v.*
Cher (chère), *adj.*	Logement, *n. m.*	Salle de séjour, *n. f.*
Chéri(e), *adj.*	Louer, *v.*	Sans doute, *loc.*
Déménager, *v.*	Meubles, *n. m. plur.*	Tant que ça ?, *loc.*
Difficile, *adj.*	Notre, *adj. poss.*	Toilette, *n. f.*
Entrée, *n. f.*	Pièce, *n. f.*	Toit, *n. m.*
Envie (avoir), *loc.*	Placard, *n. m.*	Tort (avoir), *loc.*
Garage, *n. m.*	Problème, *n. m.*	Vendre, *v.*
Grandir, *v.*	Quelque chose, *loc. indéf.*	Vente, *n. f.*
Imaginer, *v.*	Raison (avoir), *loc.*	

---

1 *Où sont-ils ?*

Exemple : La famille Mouly dîne. → Elle est dans la salle de séjour.

Sylvie joue du piano. →
Sa sœur téléphone. →
Madame Mouly fait le café. →
Les enfants déjeunent. →
Monsieur Mouly fait sa toilette. →
Monsieur Mouly rentre la voiture. →
Les enfants jouent. →

2 *Complétez les abréviations.*

app. / appt. →   F →   séj. →
anc. →   gar. →   s. bns. →
asc. →   gd / gde →   tt cft. →
ch. / chbre →   imm. →   tél. →
cuis. →   p. →   jard. →

3 *Écrivez leur petite annonce.*

a. Elle demande dans un bon quartier, un studio avec salle de bains, WC et une cuisine assez grande. Elle préfère la banlieue. Elle n'a pas de voiture. Son numéro de téléphone est le 97-66-66-31.
b. Il offre à Paris, dans le XIXᵉ arrondissement, un appartement de deux pièces de 35 mètres carrés. Le loyer est de 2 800 F avec les charges. L'appartement est à côté du métro Ourcq, il est au quatrième étage. Il n'y a pas d'ascenseur. Il faut téléphoner le soir après 20 h au 42-50-97-01.

4 *Vous avez besoin de nouveaux meubles pour votre séjour ou pour votre chambre. Quels meubles achetez-vous ?*

5 *Complétez avec* avoir *ou une expression avec* avoir.

Monsieur et Madame Mouly ... deux enfants. Leur fils ... sept ans et leur fille ... douze ans. Chacun va ... une chambre. Les Mouly vont déménager. Ils ... une voiture et en banlieue, les maisons ... un garage. Monsieur Mouly ... habiter en banlieue. Il ... : en banlieue, les maisons ... un jardin. Mais madame Mouly préfère Paris ; est-ce qu'... ?

LEÇON 14

Pour travailler à la maison

expressions et mots nouveaux

Amitié, *n. f.*
Charmant(e), *adj.*
Chinois(e), *n.*
Comme, *conj.*
Comme, *adv. exclam.*
Compagnie, *n. f.*
Dispute, *n. f.*
Escalier, *n. m.*
Franco-portugais,
  adj. comp.
Ingénieur, *n. m.*

Inviter, *v.*
Là-bas, *adv.*
Libre, *adj.*
Locataires, *n. m. plur.*
Moins (en), *loc. adv.*
Monde (tout le), *loc.*
Origine, *n. f.*
Pays, *n. m.*
Plus (en), *loc. adv.*
Portugais(e), *n.*
Portugais(e), *adj.*

Presque, *adv.*
Réunir, *v.*
Savoir, *v.*
Société, *n. f.*
Suédois(e), *n.*
Suédois(e), *adj.*
Timbre, *n. m.*
Ton, *adj. poss.*
Venir de, *v.*

■ **Identifier et caractériser des personnes.**

▶ *Le verbe venir au présent.*

▶ *Venir + de + verbe à l'infinitif : le passé récent.*

▶ *Noms de villes et de pays.*

▶ *Les sons [a] / [ɑ].*

● *Nations unies.*

---

1   *Qui est-ce ?*

Exemple : *Il est américain et il étudie le français et l'italien. →*
        C'est Jack.

a. Il est français et il travaille à Lisbonne. →
b. Il est togolais et il veut étudier le droit international. →
c. Elle est italienne et elle travaille dans une banque. →
d. Elle est brune et jolie. →
e. Il aime Venise et il aime aussi Paris. →

2   *C'est Louise ! Cochez la bonne réponse.*

a. Elle est   jeune. ☐   b. Elle a une amie   française. ☐
         vieille. ☐   espagnole. ☐

c. Elle parle   anglais. ☐   d. Elle aime   Paris. ☐
           espagnol. ☐   la campagne. ☐

e. Elle est   étudiante. ☐   f. Elle habite   à Paris. ☐
         professeur. ☐   à Toulouse. ☐

Présentez Louise en 2 ou 3 phrases.

3   *Refaites des phrases selon l'exemple.*

Exemple : *Antonio vient de Lisbonne (Patrick et Antonio) →*
        Patrick et Antonio viennent de Lisbonne.

(Nous) → | (Ma sœur) → | (Tu) →
(Les deux cousines) → | (Vous) → | (L'oncle et la tante
                                            d'Antonio) →

Exemple : *L'Italie est un beau pays (Suède) →*
        La Suède est un beau pays.

(Japon) → | (Corée) → | (Mexique) →
(Algérie) → | (Philippines) → | (Brésil) →

4   *Faites des phrases.*

a. Moi, j'habite	à	Italie.
b. Antonio arrive		États-Unis.
c. Il travaille	au	Cuba.
d. Demain matin, ils vont	aux	Lisbonne avec Patrick.
rentrer ensemble		Portugal.
e. Daniel, lui, reste	de	Paris..
f. Mais il voyage aussi :	du	Hollande.
il va souvent		
g. Sa petite amie habite	en	Amsterdam.

APPRENEZ

par cœur

le présent du verbe venir et **revoyez le présent du verbe aller.**

Pour l'exercice 1, relisez les dialogues des leçons 3, 5, 6 et 14.
Pour l'exercice 2, relisez la lettre de la leçon 8.

15 Une bouteille... et du bon !

Deux bons copains, Laurent et Rémi.

LAURENT : Nous n'avons pas beaucoup
de temps... Où allons-nous déjeuner ?

RÉMI : Chez Léon, « Au Petit Nice » ? Ce n'est pas mauvais... mais
il n'y a pas un grand choix...

LAURENT : On est vendredi. D'habitude, ce jour-là, le patron prépare
la bouillabaisse. Il est du Midi, le patron...

RÉMI : Eh bien ! Va pour la bouillabaisse... Et avec ça, on va
boire un rosé de Provence !

(Quelques minutes plus tard...)

LE PATRON : Bonjour, messieurs... Qu'est-ce que vous prenez ?

LAURENT : La bouillabaisse du vendredi !

LE PATRON : Hélas... pas aujourd'hui. Pour la bouillabaisse, il faut de
bons poissons... des poissons de la Méditerranée. Je regrette... mais...

LAURENT : Les regrets sont pour nous, patron ! Alors... quel est le plat
du jour ?

LE PATRON : Gigot d'agneau... haricots verts.

LAURENT : Et en entrée, qu'est-ce que vous avez ?

LE PATRON : Salade niçoise... comme dessert : tarte maison. Une spécialité de la patronne.

LAURENT : Parfait ! Nous sommes un peu pressés... Nous avons juste
une petite heure pour déjeuner.

LE PATRON : Entendu ! Chez nous, le service est rapide... Bon appétit,
Messieurs !

RÉMI : Hé ! patron... Nous ne buvons pas d'eau ! Vous n'avez pas
de bouillabaisse... mais vous avez toujours du rosé, j'espère ? Alors... une bouteille... et du bon !

1 *Aller à, aller chez (rappel).*

● Le nom est un nom de lieu : **aller à (au, à la, à l', aux)**. *Exemple : Je vais « Au Petit Nice ».*

● Le nom est un prénom, ou un nom de personne, ou un pronom personnel : **aller chez**. *Exemple : Je vais chez Léon.*

À vous ! Complétez.

J'ai une idée : on va manger ... moi. – Les cinq amis vont ... concert donné ... l'église Saint-Jean. – Pour mes chaussures, je vais ... « Sacha » et pour mes chaussettes, je vais ... « Printemps » ou ... « Trois Quartiers ». – Nous ne faisons pas d'économies : nous allons trop souvent ... théâtre et ... restaurant. – Le mardi soir, nous avons une table réservée ... le « Chinois » de la rue de Madrid.

Au Petit Nice

Menu à 58f

Entrées Salade niçoise
ou Tourte d'olives
ou Assiette de charcuterie

Plats Gigot d'agneau
ou Bavette à l'échalote
ou Steak au poivre

Légumes Haricots verts
ou Pommes parisiennes
ou Tomates provençales

Desserts Fruits de saison
ou Tarte maison
ou Crème caramel

Bouillabaisse le Vendredi

2 *Observez.*

– **La** bouillabaisse du vendredi et **un** rosé de Provence !

– ...

– Vous n'avez **pas de** bouillabaisse, mais vous avez toujours **du** rosé, j'espère ?

Maintenant, lisez le menu. Qu'est-ce que Laurent et Rémi commandent ? Remplacez la, le, l', les, par de la, du, de l', des.

Laurent et Rémi commandent de la ... .

Qu'est-ce qu'ils ne commandent pas ? Remplacez de la, du, de l' et des par de ou d'.

3 *Complétez les dialogues.*

– ...
– Chez Léon, « Au Petit Nice ».
– ...
– Au coin de la rue.
– ...
– Non, pas aujourd'hui.
– ...
– Ah non, pas d'eau.
– ...
– Du gigot d'agneau avec des haricots verts.

4 *Relisez le dialogue de la page 106 et répondez.*

Ils vont où ?	Ils demandent quoi ?
Ils viennent d'où ?	Ils prennent quoi ?
Il est d'où ?	Ils boivent quoi ?

5 *Lecture ou dictée.*

 On est vendredi. Laurent et Rémi vont déjeuner au « Petit Nice ». D'habitude, ce jour-là, au menu, il y a de la bouillabaisse. Hélas ! pas aujourd'hui... Tant pis ! Les deux copains vont prendre le plat du jour : gigot d'agneau et haricots verts. Avec une entrée, un dessert et... une bonne bouteille de rosé, ils vont faire un bon repas.

POUR PRATIQUER LA GRAMMAIRE

Les déterminants : l'article partitif

Il y a une certaine quantité de quelque chose qu'on ne peut pas compter.

	phrase affirmative		phrase négative
singulier	masculin	féminin	Je ne bois pas **de** thé.
	du vin	**de la** bière	

Remarques : 1. *De la → de l'* devant voyelle : de l'eau.
2. Autres déterminants : beaucoup de, peu de, un peu de + nom au singulier.
3. *De + voyelle → d'* : je ne bois pas **d'**eau.

6 **Mettez l'article partitif.**

Exemple : Je voudrais ... thé. → Je voudrais du thé.

Nous achetons ... nourriture. – Vous préférez ... vin ou ... eau ? – Moi, avec ... cassoulet, je préfère ... vin. – Elle écoute ... musique à la radio. – Cette année, la mode a ... couleur.

7 **Oui ou non ? Répondez. Faites l'exercice à deux.**

Exemple : Vous avez de l'argent ? → Oui, j'ai de l'argent. ou Non, je n'ai pas d'argent.

Tu prends de la tarte ? – Prenez-vous du vin ? – Est-ce qu'il y a souvent de la bouillabaisse ? – Prend-elle du gigot ? – Est-ce qu'il a du courage ? – Ont-ils de l'appétit ? – Ont-ils des nouvelles de leur fils ? – Le soir, prenez-vous du café ?

8 **Sur la table du restaurant, il y a ... Qu'est-ce qu'il y a ?**

Exemple : Sur la table du restaurant, il y a du sel.

Le verbe prendre au présent

S	1	Je	**prends** de la bouillabaisse.	Nous **prenons** des vacances.	1	P
I						L
N	2	Tu	**prends** le métro ?	Vous **prenez** de la tarte ?	2	U
G						R
U		On		Ils		I
L	3	Il	**prend** son manteau.	**prennent** leur voiture.	3	E
I		Elle		Elles		L
E						
R						

Remarques : 1. Attention à la prononciation :
pr**en**ds, pr**en**d [ɑ̃] ;
pr**en**ons, pr**en**ez [ən] ;
pr**enn**ent [ɛn].
2. On conjugue *apprendre* et *comprendre* comme **prendre.**

9 *Conversation. Remplacez lui par toi, puis par eux, puis par elles. Faites l'exercice à deux.*

Exemple : – *Lui, il prend le train ? – Il prend aussi l'avion.* → (1er étudiant) – ***Toi, tu prends** le train ?* (2e étudiant) – ***Je prends** aussi l'avion.*

– Lui, il prend le train ? – Il prend aussi l'avion. – Et sa voiture ? – Il ne la prend jamais.

10 *Conversation. Remplacez tu par vous, puis par je.*

– Prends-tu du gigot ? – Oui, et je prends aussi des haricots verts. – Tu ne prends pas de salade ? – Si, mais je prends de la salade niçoise.

11 *Conversation. Remplacez je par nous.*

– Je prends du fromage. – Tu prends de la tarte ? – Bien sûr ! – Tu prends aussi du café ? – Je ne prends jamais de café.

Le verbe boire au présent

S I N G U L I E R							P L U R I E L
	1	Je **bois** de l'eau.		Nous **buvons** souvent de la bière.		1	
	2	Tu **bois** du café ?		Vous **buvez** du thé ?		2	
	3	On Il ne **boit** jamais de vin. Elle		Ils **boivent** du lait. Elles		3	

12 *Conversation. Remplacez lui par toi, puis par eux, puis par elles. Faites l'exercice à deux.*

– Lui, il boit du vin. – Il boit un peu de vin. – Ah ! non, il boit beaucoup de vin.

13 *Conversation. Remplacez on par nous.*

– On ne boit pas de vin. – Non, on boit de l'eau. – Jamais de vin ? – On boit du rosé avec la bouillabaisse.

14 *Conversation. Remplacez tu par vous, puis par je.*

– Tu bois de la bière. – Oui, je bois deux ou trois demis. – Souvent ? – Je bois seulement avec des amis.

POUR BIEN PRONONCER

Les sons [l] / [R]   Les spécialités de la patronne ?
La salade niçoise et la tarte maison.

15 *Écoutez ; répétez.*

  a. Il paie le loyer, elle paie les loisirs. – Le vélo de l'étudiant togolais est bleu ; le vélo de l'Espagnol est blanc. – La salade est sur la table. – Voici la lettre d'Italie.

  b. Le patron du restaurant est riche. – Le garçon prépare le rosé. – Bonjour, il est quatre heures un quart. – Il va au restaurant trois jours par semaine, le mardi, le mercredi et le vendredi. – Il arrive à l'heure au bureau. – Son ami arrive du Portugal.

  c. Dans ce petit restaurant à côté du jardin du Luxembourg, le patron prépare la salade niçoise. – Les locataires viennent d'arriver du Portugal.

Écoutez une deuxième fois et écrivez.

Les Français et la table

16 **Le petit déjeuner à la française.**

Télé 7 jours / SOFRES (mars 85)

Que boivent-ils ?		Que mangent-ils ?		Où déjeunent-ils ?	
café noir	: 40 %	des tartines	: 51 %	dans la cuisine	: 82 %
café au lait	: 38 %	des biscottes	: 13 %	dans la salle à manger	: 13 %
thé	: 9 %	des toasts	: 4 %	dans la chambre	: 4 %
chocolat	: 7 %	un croissant	: 3 %	dans une autre pièce	: 1 %
rien	: 4 %	autre chose	: 7 %		
		rien	: 25 %		

Et vous, que prenez-vous au petit déjeuner ? Où déjeunez-vous ?

17 **Les Français à table.**

Journal du Dimanche / IFOP (juillet 84)

Les six plats préférés des Français		Les desserts		Les boissons	
steak-frites	: 42 %	fruits	: 43 %	eau	: 49 %
sole	: 15 %	tartes	: 18 %	vin rouge	: 16 %
bœuf bourguignon	: 14 %	glaces	: 17 %	boissons gazeuses	: 13 %
couscous	: 13 %	gâteaux	: 12 %	bière	: 10 %
magret de canard	: 12 %			lait	: 6 %
steak tartare	: 3 %			cidre	: 5 %
				vin blanc	: 1 %

Quels sont vos plats et vos boissons préférés en France ? dans votre pays ?

18 **Lisez la recette de la bouillabaisse et écrivez une recette de votre pays pour des amis français.**

La Bouillabaisse

Faire chauffer deux litres d'eau dans une grande casserole. Saler et poivrer. Ajouter

Quand l'eau est bouillante, y mettre différentes sortes de poissons coupés en morceaux

trois tomates coupées   deux oignons

de l'ail   du thym

et deux cuillerées à soupe d'huile d'olive.
Laisser mijoter vingt minutes. Préparer des croûtons frottés avec de l'ail, faire une mayonnaise et y ajouter de l'ail écrasé (aïoli). Servir les croûtons et l'aïoli avec la bouillabaisse.

du laurier   du persil

19 *Choisissez un plat du menu de la page 107 et commandez un vin.*

Eh bien ! Va pour la bouillabaisse. Et avec ça, on va boire un rosé de Provence !

HARMONIE DES VINS ET DES METS

Avec les entrées et les hors-d'œuvre : un vin blanc sec ou demi-sec, un vin rosé.
Avec la bouillabaisse : un vin rosé de Provence ou du Midi.
Avec les poissons : un vin blanc.
Avec les viandes blanches : un vin rouge léger.
Avec les viandes rouges : un vin rouge corsé.
Avec les fromages : un vin rouge léger ou corsé selon le fromage.
Avec les desserts et les fruits : un vin blanc doux, un vin doux naturel ou un vin mousseux.
Le champagne avec tout.

Vins blancs secs : Muscadet, Sancerre, Vouvray, Graves sec, Châblis, Meursault, Pouilly Fuissé, Sylvaner, Riesling, Pinot...
Vins rouges légers : Bourgueil, Chinon, Graves, Médoc, Côte de Beaune, Beaujolais...
Vins rouges corsés : Pomerol, Saint-Émilion, Chambertin, Côte de Nuits, Pommard, Châteauneuf-du-Pape...
Vins doux : Anjou, Sauternes, Montbazillac, Rivesaltes...

20 *Indiquez dans l'ordre les différents moments du repas et imaginez les dialogues.*

16

Demain... c'est dimanche !

LA MÈRE :	Aujourd'hui, c'est vous deux qui allez faire les courses... Toi, Nicole, va chez le boucher et achète la viande pour la semaine prochaine...
NICOLE :	Quoi, maman ?
LA MÈRE :	Comme d'habitude... Tiens ! Prends un crayon et note.
NICOLE :	Après... Je passe à la boulangerie ?
LA MÈRE :	Oui...
ÉRIC :	Maman ! Demain c'est dimanche ! Tu vas faire un gâteau ?... un gâteau au chocolat ?
LA MÈRE :	Quel gourmand ! Est-ce que j'ai le temps de penser aux gâteaux ? Toi aussi, va faire les courses... À la « Supérette », au coin de la rue. Tiens ! Ne perds pas ta liste et n'oublie rien...

ÉRIC :	Et après... avec Nicole...
LA MÈRE :	Après... après... avec Nicole, vous avez encore des courses à faire. Hé oui ! Nous avons besoin de légumes et de fruits... Je vais faire une autre liste...
ÉRIC :	N'oublie pas le melon... et le gâteau au chocolat !... Demain... c'est dimanche !

1 *Rappel.*

C'est sa femme **Irène** qui **est** à côté de lui. *(page 72)*
C'est **vous** qui **allez** faire les courses. *(page 112)*

À vous !

C'est toi qui ... faire les courses.

| C'est moi qui ... | C'est Nicole et Éric ... | C'est eux ... |
| C'est elle qui ... | C'est nous ... | C'est Marina et Sylvie ... |

2 *Voici la liste de Nicole. Cherchez les morceaux de bœuf et de mouton sur les dessins.*

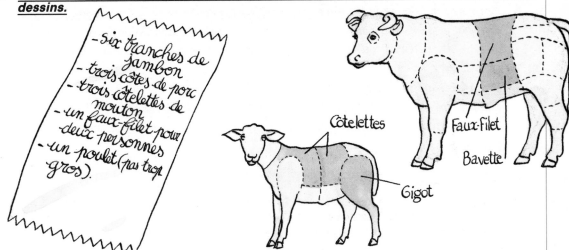

- six tranches de jambon
- trois côtes de porc
- trois côtelettes de mouton
- un faux-filet pour deux personnes
- un poulet (pas trop gros).

Côtelettes

Faux-Filet

Bavette

Gigot

3 *Faites les trois autres listes avec les mots suivants :*

sucre, pommes de terre, œufs, melon, café, carottes, tomates, deux baguettes, huile, abricots, un camembert, pêches, huit croissants.

4 *On achète...*

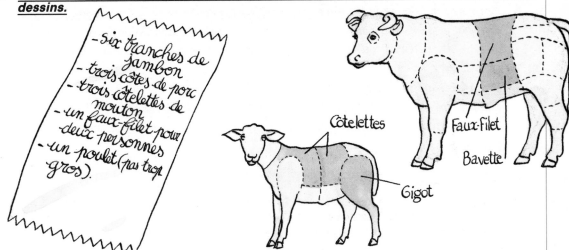

un kilo ou une livre | un paquet | un litre | un pot | une douzaine | une boîte | une bouteille

Maintenant, complétez les listes à la place d'Éric et de Nicole.

pommes de terre →	sucre →	sel →	moutarde →
pêches →	eau minérale →	spaghettis →	haricots verts →
lait →	conserves →	tomates →	champagne →

5 *Lecture ou dictée.*

  Madame Roy n'a pas le temps de faire ses courses. C'est Nicole et Éric qui vont aller à la boucherie, à la boulangerie, chez le marchand de légumes et à la « Supérette ». Il y a beaucoup de choses à acheter, et il faut faire une liste pour ne rien oublier.

L'article partitif ; rappel

Il boit **du** vin.	MAIS	Il boit trop **de** vin. Il boit beaucoup **d'**eau.
du, de la + nom		beaucoup **de,** un peu **de,** trop **de** + nom.

Remarques : 1. *De la* → *de* **l'** + voyelle ; *de* → **d'** + voyelle.
2. Il boit du vin avec **de** l'eau / Il boit du vin sans eau.
Après **sans,** il n'y a pas d'article.

6 *Nous avons faim et soif ; nous mangeons et nous buvons... Faites des phrases.*

Exemple : je, pain → *Je mange un peu de pain.* ou *Je mange beaucoup de pain.*

du gâteau – de la bière – du fromage – du poulet – du thé – de la salade – de l'eau.

7 *Préférez-vous avec ou sans ?*

Exemple : thé, lait → *Je préfère le thé **avec du** lait.* ou *Je préfère le thé **sans** lait.*

viande, moutarde – café, sucre – fromage, beurre – gâteau, chocolat.

Le verbe vendre au présent

S	1	Je	**vends** des vélos.	Nous **vendons** notre voiture.	1	P
I N G U	2	Tu	**vends** ton appartement ?	Vous **vendez** des tomates ?	2	L U R
L I E R	3	On Il Elle	**vend** du cassoulet.	Ils **vendent** des croissants. Elles	3	I E L

Remarque : Attention à la prononciation ! → je, tu vends ; il vend.

8 *Besoin d'argent ! Faites des phrases.*

Exemple : moi, vélo → *Moi, j'ai besoin d'argent ; je vends mon vélo.*

mes amis, vieil appartement – le patron, restaurant – mon copain, disques – les étudiants, livres – ses parents, boutique – toi, gâteaux – ces gens, leur voiture.

Le verbe perdre au présent

S	1	Je	**perds** mes affaires.	Nous **perdons** du temps.	1	P
I N G U	2	Tu	**perds** ton temps ?	Vous **perdez** votre stylo !	2	L U R
L I E R	3	On Il Elle	**perd** souvent la liste.	Ils **perdent** le match. Elles	3	I E L

Remarque : Attention à la prononciation → je, tu perds ; il perd.

9 ***Perdre ou ne pas perdre son temps ? Complétez.***

Exemple : Tu vas au cinéma. → *Tu perds ton temps.*

Alain regarde la télévision ; il ... . – Nous étudions les langues étrangères ; nous ... . – Ils font la queue ; ils ... . – Elle arrive en classe en retard ; elle ... . – J'écoute la radio cinq heures par jour ; je ... . – Nous passons trois heures au musée ; nous ... . – Tu restes une heure dans un taxi ; tu ... .

L'impératif

Avec l'impératif, on donne des ordres, des conseils, on interdit.

acheter	finir	vendre
Achète du pain ! Achetons des croissants ! N'achetez pas de viande !	Ne finis pas la bouteille ! Finissons notre travail ! Finissez la salade !	Vends ton vélo ! Vendons nos livres ! Vendez votre voiture !
aller	**être**	**avoir**
Va chez le boulanger ! Allons au cinéma ! Allez faire les courses !	Sois optimiste ! Soyons courageux ? Ne soyez pas timide !	N'aie pas peur ! Ayons du courage ! Ayez vos affaires !

Remarques : 1. Avec l'impératif, il n'y a pas de pronom sujet.
2. Tu achètes, mais : Achète ! Pas de -s.
3. Avec l'impératif, il y a souvent *s'il te plaît, s'il vous plaît.*
4. Les formes de la première personne du pluriel sont rarement employées.

10 ***Conversation. Remplacez toi par vous. Faites l'exercice à deux.***

– Toi, fais la vaisselle ! – D'accord, mais toi, fais le ménage ! – Viens m'aider ! Prends cette casserole !

11 ***Les courses de Nicole. Donnez les ordres.***

Exemple : du pain → *Françoise, achète du pain ! Et puis non, n'achète pas de pain !*

de la viande – des fruits – des tomates – de la glace – du fromage – du sel.

Recommencez et donnez les ordres à Nicole et Éric.

12 ***Les conseils du médecin. Donnez les conseils.***

Exemple : manger → *Mangez beaucoup de tomates !* ou *Ne mangez pas trop de tomates !*

boire de l'eau – boire de la bière – prendre du café – prendre du beurre – prendre du sucre – manger du pain – marcher.

POUR BIEN PRONONCER

L'intonation impérative

De l'eau !   Donne de l'eau !   Donne de l'eau, s'il te plaît !

13 ***Écoutez ; répétez.***

 Une bière, s'il vous plaît ! – Deux petits déjeuners, s'il vous plaît ! – Un pain et deux croissants, s'il vous plaît ! – Prends le pain pour ce midi ! – Prends le pain pour ce midi et pour ce soir ! – Achète six tranches de jambon, six côtes de porc et trois côtes de mouton ! – Patron, donnez-nous de la salade niçoise, du gigot, des haricots et une bonne bouteille de rosé, s'il vous plaît !

Boutiques et magasins

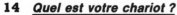

14 Quel est votre chariot ?

Chariot 1 : Des bonbons anglais. Des choco-
lats hollandais. Un plumeau violet.
Des bougies en forme de fruits.
Une brosse à dents. De la vodka.

Chariot 2 : Des boîtes de conserves. Un rôti
de bœuf. Des « surgelés ». Du
café instantané. Du lait en tube.
Un ouvre-boîtes. Des ceintres.

Chariot 3 : Un chou-fleur. Des pommes de
terre. Du lait en bouteille. Des pâ-
tes. Un poulet. Un balai. De l'eau
de Javel. Du papier hygiénique.
Une cocotte minute.

Aucun ? Remplissez alors votre chariot...

15 Qu'est-ce que vous préférez ? Les petits commerces ? Les grandes surfaces ? Les livraisons à domicile ? Pourquoi ?

Vos courses à domicile.

Finies les queues !
- Finis les sacs lourds !

RESTEZ CHEZ VOUS
ET TAPEZ... SUR VOTRE MINITEL.
Vous avez accès à un véritable supermarché à domicile.
Vous y trouvez tout : alimentation, boissons, entretien,
surgelés...
Il est ouvert 24 heures sur 24, 7 jours sur 7.
Vous commandez et on vous livre à domicile.
Vous payez par carte bancaire ou par chèque.
La livraison est gratuite à Paris et en banlieue à partir de
300 F de commande.

FAITES VITE L'ESSAI !
TAPEZ...

16 *Achetez !*

Chez le marchand de fromages :

Du brie
Un fromage de chèvre
Du gruyère
Des yaourts
Un camembert |bien   fait
              |pas   fait...

À la charcuterie :

Des saucisses
Du saucisson
Du jambon
Du pâté de foie
Du pâté de campagne
Des rillettes

Pour vous aider :

– Je voudrais...
– Vous avez... ?

– C'est combien ?

– Donnez-m'en...

– Ce sera tout ?
– Et avec ça ?

– ... F., s'il vous plaît.
– Ça vous fait ... F.
– Vous n'avez pas de monnaie ?

17 *Vous invitez des amis français. Composez un menu et préparez votre liste d'achats :*

– Vous êtes seul(e).
– Vous avez une famille nombreuse.
– Vous n'avez pas beaucoup d'argent.
– Vous avez beaucoup de temps.

Carottes râpées au citron
Épaule de veau
Riz créole
Fruits

Salade au fromage
Steaks hachés
Carottes braisées
Crème mousseuse au moka

Potage
Salade composée
Fromage
Crème au citron

18 *Lecture.*

 La mère de Pomme vendait des œufs. Elle vendait aussi des berlingots de lait, du beurre au quart ou à la motte, du fromage. Elle prenait son grand couteau à double manche, elle posait le tranchant sur la meule de gruyère selon la grosseur qu'on lui demandait, et elle se faisait confirmer : « Comme ça, ou plus ? ».

PASCAL LAINÉ, *La Dentellière*, Gallimard.

LEÇON 15

- ■ *Demander.*
- ■ *Exprimer ses goûts.*
- ■ *Apprécier.*
- ■ *S'excuser.*

- ▶ *Les déterminants :*
  l'article partitif.
- ▶ *Le verbe prendre*
  au présent.
- ▶ *Le verbe boire*
  au présent.
- ▶ *Les sons* [l] / [R].

- ● *Les Français et la table.*

APPRENEZ

par cœur

le présent des verbes prendre
et boire.

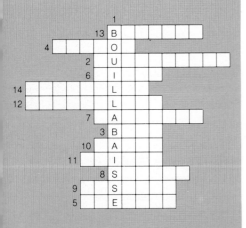

Pour l'exercice 1, revoyez les pages 108 et 109.
Pour l'exercice 2, relisez le dialogue
de la page 106.

── expressions et mots nouveaux ──

Agneau, *n. m.*
Appétit, *n. m.*
Assiette, *n. f.*
Bien (eh), *interj.*
Bouillabaisse, *n. f.*
Choix, *n. m.*
Coin, *n. m.*
Demander, *v.*
Dessert, *n. m.*
Eau, *n. f.*
Entrée, . *f.*
Fromage, *n. m.*
Fruit, *n. m.*
Gigot, *n. m.*
Habitude (d'),
  loc. adv.

Haricot, *n. m.*
Lait, *n. m.*
Mauvais(e), *adj.*
Menu, *n. m.*
Midi, *n. m.*
Mode, *n. f.*
Moutarde, *n. f.*
Niçois(e), *adj.*
Œuf, *n. m.*
Pain, *n. m.*
Parfait !, *adj.*
Parisien(ne), *adj.*
Patron(ne), *n.*
Plat, *n. m.*
Préparer, *v.*

(Être) pressé, *v.*
Provençal(e), *adj.*
Regret, *n. m.*
Regretter, *v.*
Repas, *n. m.*
Rosé (un), *n. m.*
Rosé(e), *adj.*
Salade, *n. f.*
Sel, *n. m.*
Service, *n. m.*
Spécialité, *n. f.*
Steak, *n. m.*
Tarte, *n. f.*
Tomate, *n. f.*

---

1 **Refaites des phrases selon l'exemple.**

Exemple : Sylvie comprend bien l'italien (je) →
Je comprends bien l'italien.

(nous) → │ Jack et Sylvie → │ (les deux sœurs) →
(tu) → │ (le patron) → │ (vous) →

Exemple : Le soir, nous ne buvons pas de café (je) →
Le soir, je ne bois pas de café.

(ma mère) → │ (la vieille dame) → │ (Sylvie et Marina) →
(mes amis) → │ (mon ami) → │ (tu) →

Exemple : Dans le placard de la cuisine, il y a du sel (pain) →
Dans le placard de la cuisine, il y a du pain.

(moutarde) → │ (œufs) → │ (eau minérale) →
(sucre) → │ (vin) → │ (conserves) →

2 **Trouvez et placez les mots dans la grille.**

Laurent aime bien la ... (1). Mais, ... (2) chez Léon, il n'y a
pas de bouillabaisse : les poissons ne sont pas assez ...
(3), dit le ... (4). Alors, qu'est-ce que Laurent et Rémi vont
choisir ? Ils vont ... (5) du ... (6) avec des ... (7) verts, et,
en entrée, de la ... (8) niçoise. Et comme ... (9) ? De la ...
(10) ... (11), une ... (12) de la patronne. Ils ... (13) de
l'eau ? Non, du vin. Une bonne ... (14) de rosé.

3 **Rapprochez les mots et faites des phrases.**

Exemple : Nous prenons une bouteille de rosé ?

une bouteille ●   ● de la rue
le plat ●   ● du Midi
des poissons ●   ● de rosé
l'entrée ●   ● de la Méditerranée
le coin ●   ● du jour
un homme ●   ● de l'appartement

LEÇON 16

---

expressions et mots nouveaux

Abricot, *n. m.*
Affaire, *n. f.*
Aider, *v.*
Baguette, *n. f.*
Beurre, *n. m.*
Bœuf, *n. m.*
Boulanger, *n. m.*
Boucher, *n. m.*
Boulangerie, *n. f.*
Camembert, *n. m.*
Carotte, *n. f.*
Charcuterie, *n. f.*
Chariot, *n. m.*
Chocolat, *n. m.*
Côte, *n. f.*

Côtelette, *n. f.*
Crayon, *n. m.*
Croissant, *n. m.*
Douzaine, *n. f.*
Gâteau, *n. m.*
Glace, *n. f.*
Gourmand, *n. m.*
Huile, *n. f.*
Jambon, *n. m.*
Kilo, *n. m.*
Légume, *n. m.*
Liste, *n. f.*
Litre, *n. m.*
Marchand, *n. m.*
Melon, *n. m.*

Mouton, *n. m.*
Optimiste, *adj.*
Paquet, *n. m.*
Pêche, *n. f.*
Perdre, *v.*
Peur, *n. f.*
Pomme de terre, *n. f.*
Porc, *n. m.*
Poulet, *n. m.*
Prochain(e), *adj.*
Rien, *pron.*
Supérette, *n. f.*
Tranche, *n. f.*
Viande, *n. f.*
Vrai(e), *adj.*

■ *Donner des ordres.*
■ *Répondre à des ordres.*
▶ *L'article partitif : rappel.*
▶ *Le verbe vendre au présent.*
▶ *Le verbe perdre au présent.*
▶ *L'impératif.*
▶ *L'intonation impérative.*
● *Boutiques et magasins.*

1 ___Rapprochez les mots et faites des phrases.___

Exemple : Chez le boucher, Nicole achète trois côtes de porc.

chez le boucher ●
le petit garçon ●
à la boulangerie ●
la « Supérette » ●
demain dimanche ●
au petit déjeuner ●
un stylo ●

● le melon et les gâteaux
● un gâteau au chocolat
● des croissants
● trois côtes de porc
● au coin de la rue
● la liste des courses
● deux baguettes

APPRENEZ

par cœur

le présent des verbes vendre et perdre.

2 ___Maman dicte et Nicole note.___

Exemple : (Maman) – Va chez le boucher ! (Nicole) →
Aller chez le boucher.

– Prends de la viande !   → p...
– Passe chez le boulanger !   → p...
– Achète huit croissants !   → a...
– Choisis un beau melon !   → c...
– N'oublie pas ta liste !   → ne pas o...

3 ___Pas ? pas de ? Complétez les dialogues.___

a. – Ils vont faire les courses ? – Non, ... aujourd'hui.
b. – Éric a un frère ? – Non, ... frère, mais une sœur.
c. – Éric est grand ? – Il a six ans ! Il n'est ... grand !
d. – J'achète un gros poulet ? – Achète un poulet, mais
... trop gros !

4 ___Refaites des phrases selon l'exemple.___

Exemple : Quand nous avons faim, nous mangeons du pain (jam-
bon) → Quand nous avons faim, nous mangeons du jambon.

● Quand nous avons faim, nous mangeons (sucre), (frites),
(chocolat).
● Quand nous avons soif, nous buvons (eau), (bière), (thé).
● Voulez-vous (pomme ?), (pêche ?), (œufs ?)

Pour l'exercice 3, relisez les pages 30, 58 et 112.
Pour les exercices 4 et 5, relisez la leçon 15.

5 ___Complétez.___

Aujourd'hui, Silvio a trente ans ! Sylvie et Marina préparent
le dîner. Voici le menu : ... melon, ... gigot d'agneau, ...
haricots verts, ... salade, ... fromage, et comme dessert, ...
gâteau au chocolat. ... vin ? Oui ! ... champagne, bien entendu ! Bon anniversaire, Silvio ! ! !

17 Passe ton bac d'abord !

Serge, lycéen (17 ans) et Irène, étudiante à l'Université (19 ans).

(Dans l'entrée de l'immeuble)

IRÈNE : Alors ce bac, ça a marché ?

SERGE : Comme ci, comme ça. Les maths ça va, la philo... hum !... Tu sais, avec les correcteurs, on n'est jamais sûr... Toi, tu as eu de la chance, tu as eu ton bac facilement...

IRÈNE : La deuxième fois seulement !

SERGE : Moi, si j'échoue, je ne recommence pas.

IRÈNE : Allons... un peu d'optimisme...

SERGE : D'optimisme ! J'entends déjà mes parents : « Paresseux ! Bon à rien ! Les filles, le rock, le tennis... oui ! mais préparer ton avenir ! Ta sœur a pourtant montré le bon exemple. »

IRÈNE : Thérèse ? Où est-elle maintenant ?

SERGE : Dans un I.U.T., à Grenoble... Sciences agricoles... Tu vois ça ? Ma chère... une perle. Pas de copains, pas de *disco*, économe... Toutes les qualités, quoi ! Tout pour réussir dans la vie... Elle a déjà trouvé un emploi... Avec les vaches et les moutons... et moi... tous les défauts...

IRÈNE : Tu exagères... Si tu rates ton bac... tu redoubles ton année !

SERGE : C'est ça... tu parles comme mes parents... « Passe ton bac d'abord ! »...

1 **Répondez** *c'est vrai..., c'est faux..., ou je ne sais pas...*

Exemple : Serge et Irène sont dans l'ascenseur. → C'est faux, ils ne sont pas dans l'ascenseur...

    a. Serge est content de ses maths.
    b. Il est aussi content de sa philo.
    c. La sœur de Serge est plus jeune que lui.
    d. Les parents de Serge sont contents de lui.
    e. Serge travaille beaucoup.
    f. Thérèse étudie dans un Institut universitaire de technologie.
    g. Irène a déjà un emploi.

2 **Matin / matinée...**

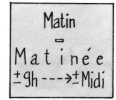 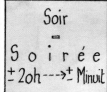 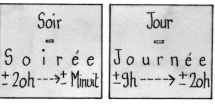 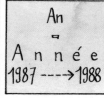

Matin	Soir	Jour	An
Matinée	Soirée	Journée	Année
± 9h ---→ ± Midi	± 2oh ---→ ± Minuit	± 9h ---→ ± 2oh	1987 ---→ 1988

Le féminin marque la durée -----→

- **le matin** de $\pm$ 9 heures à $\pm$ midi → **la matinée.**
- **le soir** de $\pm$ 20 heures à $\pm$ minuit → **la soirée.**
- **le jour** de $\pm$ 9 heures à $\pm$ 20 heures → **la journée.**
- **l'an** 1986... 1987 → **l'année.**

Et maintenant, complétez.

Serge a dix-sept ... . Au lycée, il n'a pas fait une bonne ... . Le ..., il arrive souvent en retard en classe. Dans la ..., il pense au tennis, au rock et aux filles, mais pas à la philo. Le ..., il n'a jamais rien à étudier. Il passe la ... à regarder la télé. Mais, attention ! le ... de l'examen va arriver !

3 **Commence / recommence...**

Rappel :   Le cours commence à six heures. *(page 36)*
                Si j'échoue, je ne **re**commence pas. *(page 120)*

Septembre 1987 : Serge commence sa terminale (sa dernière année de lycée).
Juin 1988 : Serge échoue au Baccalauréat.
Septembre 1988 : il **re**commence sa dernière année de lycée.

Terminez les phrases.

    a. Louise fait le numéro de Maria. Le numéro n'est pas bon, Louise ...
    b. Les Mouly déménagent. Le loyer augmente beaucoup, les Mouly ...
    c. Laurent prend de la salade niçoise. Elle est très bonne, Laurent ...
    d. Rémi demande du rosé de Provence. Rémi aime beaucoup le rosé de Provence, Rémi ...

4 **Lecture ou dictée.**

 Les Lucet sont contents de leur fille, mais pas de leur fils. Thérèse a bien travaillé à l'école et à l'Université et elle a déjà trouvé un emploi. Serge, lui, vient de passer le baccalauréat. Il a réussi les mathématiques, mais la philosophie n'a pas « marché ». Il a peur d'échouer. Que vont dire ses parents ? S'il échoue, il n'a pas envie de recommencer.

Le passé composé

On forme le passé composé avec un **auxiliaire** (*avoir* ou *être*) et un **participe passé**.
Le passé composé indique **une action passée**.

a. le passé composé avec avoir

S	1	J'	**ai acheté** des chaussures.	Nous **avons joué** aux cartes.	1	
I N G U L I E R	2	Tu	**as regardé** le match ?	Vous **avez étudié** le français ?	2	P L U R I E L
	3	On Il Elle	**a écouté** la radio.	Ils Elles **ont mangé** du gigot.	3	

Remarque : 1. Dans *j'ai acheté*, *ai* (verbe *avoir*) est l'**auxiliaire** ; *acheté* est le **participe passé** de *acheter*.

b. quel auxiliaire ?

Les verbes avec un complément d'objet direct emploient toujours l'auxiliaire **avoir**.

Exemple : J'achète des chaussures. → *J'ai acheté des chaussures.*

Mais quelques verbes n'ont pas de complément d'objet direct et pourtant emploient l'auxiliaire **avoir :** coûter, dormir, marcher, plaire, sembler, voyager...

c. comment former le participe passé ?

● **verbes réguliers en *-er* → *-é***

Exemple : chanter → *chanté : Nous avons chanté toute la nuit.*

● **verbes réguliers en *-ir* → *-i***

Exemple : finir → *fini : J'ai fini mon travail.*

● **Attention aux participes passés de ces verbes :**

avoir	→ eu	prendre → pris	apprendre	→ appris	
être	→ été	vendre → vendu	comprendre	→ compris	
faire	→ fait	perdre → perdu	boire	→ bu	

Remarque : Passé composé du verbe *être* : *J'***ai** été, tu **as** été, etc.

5 *Samedi dernier... Faites des phrases.*

Exemple : moi, regarder le match à la télévision → *Samedi dernier, j'ai regardé le match à la télévision.*

elles, dîner dans un restaurant chinois – elle, acheter une robe d'été – toi, louer une maison à la campagne – moi, déjeuner avec Marc – lui, vendre sa moto à Antonio – eux, choisir de belles cravates – elle, faire du tennis.

d. le passé composé dans les phrases négatives et interrogatives

● **phrases négatives**

... n'	+ auxiliaire avoir +	pas +	participe passé	
Philippe **n'**	**a**	**pas**	**réussi**	les maths.

● **phrases interrogatives**

| Est-ce que tu **as eu** tes notes ? | Tu **as eu** tes notes ? | **As**-tu **eu** tes notes ? |

6 *Oui ou non, avez-vous fait... ? Un étudiant pose la question ; un autre répond.*

Exemple : faire des études, toi → – As-tu fait des études ?
– Oui, moi, j'ai fait des études. ou Non, moi, je n'ai pas fait d'études.

travailler toute l'année, lui – comprendre les explications, elle – perdre son temps, Philippe – commencer une licence de physique, eux – faire une bonne année, le fils de Mme Rivot – prendre des notes, les étudiants – jouer dans leurs chambres, les enfants.

7 *Où, quand, comment ont-ils fait ? Un étudiant pose la question, un autre répond.*

Exemple : où, Édith, commencer, licence → – Où Édith a-t-elle commencé une licence ?
– Elle a commencé une licence dans son pays, ou à l'Université, ou à la Sorbonne, etc.

quand, Marek, étudier, leçon 18 – où, Anna, apprendre, français – avec qui, Silvia et Marina, chanter, chansons françaises – comment, Karen, dépenser, argent – où, Peter, Rudolf, acheter, livres – avec qui, Sylvie, prendre, cours d'italien.

Les verbes en -cer et -ger

Attention à la première personne du pluriel du présent !

| Je mange du pain. | *mais* | Nous **mangeons** peu. |
| Je commence ce livre. | *mais* | Nous **commençons** demain. |

8 *Conversation. Remplacez on par nous.*

a. – Bon, on commence ? – D'accord on commence ! – Aïe, raté ! – Alors, on recommence...
b. – Quand est-ce qu'on mange ? – On ne mange pas aujourd'hui. – Comment ça, on ne mange pas aujourd'hui ? – Enfin, on mange seulement un peu de fromage.

Écrivez les verbes de l'exercice.

POUR BIEN PRONONCER

Les sons [e] / [ɛ]   Hélène est à l'Université et Thérèse dans un IUT.

9 *Écoutez ; répétez.*

a. Écoutez ; répétez. Allez ! Répétez ; écoutez ; répétez ! – Ménage, marché, déjeuner, dîner, télé ; ménage, marché, déjeuner, dîner, télé ! J'en ai assez !

b. Ma chère, c'est une perle ! – J'aime le faux-filet, mais je préfère les côtelettes. – Il aime le camembert avec de la baguette fraîche. – Les locataires du troisième ont des problèmes de budget.

10 *Écoutez ; répétez.*

Je préfère les résidences modernes ; les entrées sont belles et les salles de séjour sont claires. – J'ai acheté un poulet chez Bébert la semaine dernière, il était cher et de mauvaise qualité. – J'ai réservé une table pour dîner chez le Portugais ; j'ai invité Thérèse, Hélène et son frère.

Écoutez une deuxième fois et écrivez.

Études, examens, emplois

11 Voici le carnet de notes de Serge.

À l'école primaire, Serge travaillait bien. Il ne faisait pas de fautes à ses dictées. Il écrivait de petits textes intéressants et amusants. Il apprenait bien ses leçons. Il était bon en calcul. Ses maîtres étaient contents de lui et ses parents aussi... Et maintenant ?

Qu'est-ce qui est arrivé ?

DISCIPLINES	COEF.	NOTE	PLACE	Note la plus haute	basse	Moyenne	APPRÉCIATIONS / Nom du Professeur
				de la classe			
Ortho.-Gramm.	2	8		16	7	12	Serge doit être plus attentif pendant les cours pour progresser
Expr. écrite	2	6		14	6	10	
Expr. orale	1	6		14	6	11	M D. Bilon
Latin	1	9		17	9	13	Travail irrégulier M D. Bilon
Grec	1						M
L.V. 1 .... Nb élèves	3	14		17	8	13	Excellent à l'oral A.B à l'écrit M. Yvar
L.V. 2 .... Nb élèves	3	14		17	4	11	Des résultats satisfaisants obtenus sans trop d'efforts. Peut mieux faire M Girard
Histoire-Géographie Éducation civique	2	6		14	6	10	Travail nettement insuffisant M Lamy
Mathématiques	4	8		17	3	11	Très insuffisant. Manque d'un travail sérieux M Dupin
Biologie	1	9		15	6	9	Trop moyen M Seccin
Physique	1	7		15	4	9	Insuffisant. travail superficiel M Harrouet
Musique	1	9		19	8	13	Manque de sérieux M Mathieu
Dessin	1	10		17	9	12	passable M Bruez
Technologie	1	7		17	7	12	ne fait pas grand chose en classe doit se ressaisir — M Sabin
E.P.S.	2	13		17	10	13	Assez bien. Des efforts réels M Amand

Total avec coefficient : 207
Moyenne générale de l'élève : 9,17
Classement : 29

Moyenne générale de la classe : 11,19
Moyenne la plus haute de la classe : 15,04
Moyenne la plus basse de la classe : 6,73

Pour vous aider :

Coef. : coefficient
Exp. : expression
L.V. 1 : première langue vivante

L.V. 2 : deuxième langue vivante
E.P.S. : éducation physique et sportive
AB : assez bien

12 Passe ton bac d'abord ! Mais quel bac ?

	A1	A2	A3
8 bacs d'enseignement général	B		
	C		
	D	D'	
	E		

	F1	F2	F3	F4	F5	F6	F7	F8	F9	F10	F11	F12
18 bacs de technicien (BTn)	G1			G2			G3					
	H											

Cours privé François Villon

Enseignements secondaire et pré-universitaire

Seconde. Premières. Terminales A, B, S, C, D.

■ Prépas : Médecine, DEUG, Sc. Po.
■ Langues : Angl., All., Esp.
■ Informatique.

13 *Quelle chance les jeunes ont-ils de trouver un emploi ?*

EMPLOYÉE DE BUREAU
niveau Bac + notions compta et
informatique - Tél. 48.99.00.00

Sté Transports Routiers
recherche
**CHAUFFEUR Régional
Permis C1
Expérience 2 ans**
Tél. pr RV 45.97.00.00

Dans le cadre de son expansion
importante Sté Immobilière
Embauche immédiatement
NÉGOCIATEURS(TRICES)
+ 25 ans, voiture indispensable
formation assurée
Tél. 48.86.00.00

**Recherchons POUR UN MOIS :
AIDE-MAGASINIERS-VENDEURS**
avec permis V.L.
Tél. pour R.V. de 13 à 17 h
Tél. 34.64.00.00

Recherchons
EXCELLENTE DACTYLO
**Dynamique, expérimentée, BAC
mini.**
bilingue ANGLAIS
Orthographe parfaite.
Bon contact clients
pour prise messages téléphon.
saisie directe dactylographiée.
Tél. pour R.V. 43.39.00.00

RECHERCHE :
Pour **atelier Sérigraphie
Dessinateur d'exécution**
Réf. 5 a. minimum
ds la qualification.
Libéré O.M. - Niveau bac minimum.
Anglais apprécié.
DECA PUB - Tél. 43.60.00.00

Recherchons **4 stagiaires Tuc
2 postes de secrétariat
2 postes pour la création
et le développement
d'une banque
de données télématique**
Tél. 64.80.00.00

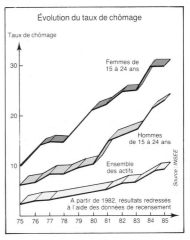

Évolution du taux de chômage

Taux de chômage

Femmes de 15 à 24 ans

Hommes de 15 à 24 ans

Ensemble des actifs

A partir de 1982, résultats redressés à l'aide des données de recensement

Source : INSEE

75 76 77 78 79 80 81 82 83 84 85

---

14 *Comprenez-vous ces jeunes ?*

Pour vous aider :

— Moi, ...
— Eh bien moi, ...
— Je ne suis pas tout à fait de votre avis...
— Oui, mais...

— Mais si !
— Ah non !
— Je ne suis pas du tout d'accord avec vous !
— C'est faux !

— Oui, bien sûr, vous avez raison.
— Après tout, pourquoi pas ?
— Parlons d'autre chose.

---

15 *Lecture.*

LE CANCRE

Il dit non avec la tête
mais il dit oui avec le cœur
il dit oui à ce qu'il aime
il dit non au professeur
il est debout
on le questionne
et tous les problèmes sont posés
soudain le fou rire le prend
et il efface tout
les chiffres et les mots
les dates et les noms
les phrases et les pièges
et malgré les menaces du maître
sous les huées des enfants prodiges
avec des craies de toutes les couleurs
sur le tableau noir du malheur
il dessine le visage du bonheur.

JACQUES PRÉVERT, *Paroles*, Gallimard.

Pour travailler à la maison

- ■ *Apprécier.*
- ■ *Exprimer son désaccord.*
- ■ *Argumenter.*
- ▶ *Le passé composé avec avoir.*
- ▶ *Le passé composé dans les phrases négatives et interrogatives.*
- ▶ *Les verbes en –cer et –ger.*
- ▶ *Les sons* [e] / [ɛ].
- ● *Études, examens, diplômes...*

APPRENEZ

par cœur

le présent des verbes manger **et** commencer **et les participes passés des verbes** avoir, pren-dre, être, vendre, apprendre, comprendre, faire, perdre **et** boire.

---

expressions et mots nouveaux

Agricole, *adj.*	Études, *n. f. plur.*	Philo(sophie), *n. f.*
Apprendre, *v.*	Examen, *n. m.*	Plaire, *v.*
Avant-hier, *adv.*	Exemple, *n. m.*	Primaire, *adj.*
Avenir, *n. m.*	Explication, *n. f.*	Qualité, *n. f.*
Bac(calauréat), *n. m.*	Facilement, *adv.*	Rater, *v.*
Bon(ne) à rien, *adj.*	Finir, *v.*	Recommencer, *v.*
C'est ça, *loc.*	Fois, *n. f.*	Redoubler, *v.*
Correcteur, *n. m.*	Institut, *n. m.*	Réussir, *v.*
D'abord, *adv.*	Lycée, *n. m.*	Rock, *n. m.*
Défaut, *n. m.*	Lycéen, *n. m.*	Science, *n. f.*
Déjà, *adv.*	Math(ématiques), *n. f.*	Secondaire, *adj.*
Diplôme, *n. m.*	*plur.*	Si, *conj. sub.*
Disco, *n. m.*	Montrer, *v.*	Sûr(e), *adj.*
Dormir, *v.*	Note, *n. f.*	Technologie, *n. f.*
Échouer, *v.*	Optimisme, *n. m.*	Tout(e), tous, toutes,
Économe, *adj.*	Paresseux	*adj. indéf.*
Emploi, *n. m.*	(paresseuse), *adj.*	Universitaire, *adj.*
Entendre, *v.*	Perle, *n. f.*	Vache, *n. f.*

---

1 *Tout ? toute ? tous ? toutes ? Complétez.*

Thérèse ? elle travaille ... le temps ! Elle est à l'I.U.T. ... la journée, et le soir, à la maison, elle étudie encore ! Serge, lui, est paresseux ! ... les matins, il arrive en retard au ly-cée, il a de mauvaises notes, il passe ... ses soirées à re-garder la télé ou à écouter du rock. Vraiment, sa sœur a ... les qualités, et lui, ... les défauts !

2 *Faites des phrases au passé composé.*

Exemple : étudier le programme → Thérèse est une bonne étu-diante, elle a étudié le programme.

Saskia, travailler à la bibliothèque – Barbara, prendre des notes en classe – Rita, répéter les exercices de grammaire – Marta, préparer ses examens de français – Angelica, comprendre les explications du professeur – Lisa, réussir à l'examen.

3 *Infinitif ? ou participe passé ?*

a. (passer / passé) : Serge vient de ... le bac.
b. (marcher / marché) : Est-ce que ça a bien ... ?
c. (réussir / réussi) : Il a ... les maths mais pas la philo.
d. (avoir / eu) : Irène a ... de la chance, elle ; elle a ... son bac facilement.
e. (trouver / trouvé) : Thérèse aussi a de la chance : elle a déjà ... un emploi.
f. (penser / pensé) : Cette année, Serge a beaucoup ... au tennis et aux filles.
g. (préparer / préparé) : Il n'a pas ... son examen.
h. (passer / passé) : Ses parents ne sont pas contents. Il faut ... le bac d'abord !

4 *Où ? Quand ? Comment ? Trouvez les questions.*

– Irène a rencontré Serge **dans l'entrée de l'immeuble.**
– Serge a passé son bac **avant-hier.**
– Irène a eu son bac **facilement... la deuxième fois seu-lement !**

Abréviations utilisées dans le lexique

adj. : adjectif.
adj. comp. : adjectif composé.
adj. dém. : adjectif démonstratif.
adj. exclam. : adjectif exclamatif.
adj. indéf. : adjectif indéfini.
adj. interrog. : adjectif interrogatif.
adj. inv. : adjectif invariable.
adj. poss. : adjectif possessif.
adv. : adverbe.
adv. interrog. : adverbe interrogatif.
adv. interrog. négatif : adverbe interro-négatif.
art. : article.
art. indéf. : article indéfini.
conj. : conjonction.
f. : féminin.
f. sing. : féminin singulier.
f. plur. : féminin pluriel.
interj. : interjection.

loc. : locution.
loc. adv. : locution adverbiale.
loc. indéf. : locution indéfinie.
loc. prép. : locution prépositionnelle.
m. : masculin.
m. plur. : masculin pluriel.
m. sing. : masculin singulier.
n. : nom.
n. f. : nom féminin.
n. m. : nom masculin.
prép. : préposition.
pron. : pronom.
pron. dém. : pronom démonstratif.
pron. indéf. : pronom indéfini.
pron. interrog. : pronom interrogatif.
pron. pers. : pronom personnel.
v. : verbe.
v. p.p. : verbe participe passé.
v. pron. : verbe pronominal.

TABLE DES ILLUSTRATIONS

Table des matières

Leçon	Pages	Objectifs linguistiques	Objectifs grammaticaux	Pour aller plus loin
1	8 à 13	• Saluer. • Se présenter. • Présenter quelqu'un.	• Je me présente... / Je vous présente... • Je demande... c'est... • Voici... et voilà... • L'alphabet français.	*Paroles et gestes*
2	14 à 19	• Demander une information. • Demander quelque chose.	• Je demande... qui est-ce ? Quelle heure ? À quelle heure ? • Il est... / C'est... • Lettres muettes. • Les accents.	*Chiffres et lettres*
3	22 à 27	• Demander une information. • Donner son opinion.	• Les personnes et les pronoms personnels sujets. • Les verbes irréguliers au présent. • Formes de politesse. • L'article : un, une, des. • L'accent tonique.	*À Paris*
4	28 à 33	• Exprimer ses préférences. • Proposer / accepter ou refuser une proposition.	• Ne... pas : la négation. • Je demande... oui ou non ? • L'article : le, la, les / Le ; un... des... • L'intonation interrogative.	*Activités et préférences*
5	36 à 41	• Préciser son identité. • S'excuser et se justifier... • Dire l'heure.	• Quelle heure est-il ? • Je demande... qui... / Je demande le nom. • Le verbe être au présent. • L'intonation des phrases affirmatives et négatives.	*Au fil des heures*
6	42 à 47	• Parler de soi. • Exprimer un jugement. • Exprimer un souhait.	• Pronoms personnels sujets : rappel. • Pronoms personnels toniques. • Verbe + verbe à l'infinitif. • Réponses : ... moi aussi, ... moi non plus. • L'enchaînement voyelle + voyelle.	*Travail et loisirs*
7	50 à 55	• Interroger sur le temps. • Présenter des personnes.	• Le verbe avoir au présent. • Le genre : masculin, féminin. • C'est... qui... / c'est... que... • Qui est-ce qui ? Qu'est-ce que... ? Rappel. • L'enchaînement consonne + voyelle.	*Autour de nous*
8	56 à 61	• Caractériser des personnes, des lieux. • Donner son opinion. • Compter jusqu'à 99.	• L'article indéfini : rappel. • L'article indéfini et la négation. • Le pluriel des noms. • L'exclamation : quel... ! • La liaison.	*Des gens, une ville...: Les jours.*
9	64 à 69	• Demander et donner des informations pratiques. • Savoir téléphoner. • Communiquer.	• Où ? quand ? comment ? • Les adjectifs : genre, nombre, place. • Le son [i].	*Où sont-ils ? Où vont-ils ?*
10	70 à 75	• Proposer. • Situer des personnes et des lieux. • Localiser sur un plan.	• Les verbes aller et faire au présent. • Le futur proche. • Les articles : récapitulation. • Les sons [p] / [b].	*Lire la ville*

11	78 à 83	• Exprimer ses besoins et ses goûts. • Localiser. • Acheter.	• Les adjectifs démonstratifs. • Je demande... C'est à... • Ce vélo-ci, ce vélo-là. • Acheter et préférer au présent. • Les sons [i] / [y].	*Que choisir ?*
12	84 à 89	• Interroger, s'interroger. • Faire des reproches, se justifier. • Les nombres (100 et plus).	• Les adjectifs possessifs. • Le verbe payer au présent. • Plus que, moins que, autant que : la comparaison. • Le son [r].	*Argent, argent...*
13	92 à 97	• Exprimer ses goûts, ses préférences et les justifier. • Faire des choix.	• Le verbe choisir au présent. • Les adjectifs beau, nouveau et vieux : genre, nombre et place. • Les déterminants : récapitulation. • Les sons [u] /[i] / [y].	*Avoir un toit*
14	98 à 103	• Identifier et caractériser des personnes.	• Le verbe venir au présent. • Le passé récent. • Noms de villes et de pays. • Les sons [a] / [ɑ].	*Nations unies*
15	106 à 111	• Demander. • Exprimer ses goûts. • Apprécier. • S'excuser.	• Les déterminants : l'article partitif. • Le verbe prendre au présent. • Le verbe boire au présent. • Les sons [l] / [r].	*Les Français et la table*
16	112 à 117	• Donner des ordres. • Répondre à des ordres.	• L'article partitif : rappel. • Les verbes vendre et perdre au présent. • L'impératif. • L'intonation impérative.	*Boutiques et magasins*
17	120 à 125	• Apprécier. • Exprimer son désaccord. • Argumenter.	• Le passé composé avec avoir. • Le passé composé dans les phrases négatives et interrogatives. • Les verbes en « cer » et « ger ». • Les sons [e] / [ɛ].	*Études, examens, diplômes*

Aubin Imprimeur

LIGUGÉ, POITIERS

Achevé d'imprimer en novembre 1992
N° d'édition 07 / N° de collection 40 / N° d'impression P 41667
Dépôt légal 1010-11-1992
Imprimé en France

15/4734/8